水神（上）

第一章 水《すい》遠《おん》

一　打《うち》桶《おけ》

「元助《げんすけ》、起きろ。もうじき夜が明ける」

　肩を揺さぶられて眼を開ける。そう言えば、さっき鶏《とり》の声を聞いたような気がする。すぐ目の前に伊《い》八《はち》の髭面《ひげづら》があった。

「打桶ば忘れるな」

　伊八が念をおす。何日か前に寝ぼけ眼で伊八のあとについていったのはよかったが、五町ほど行って背中に何も担《かつ》いでいないのに気がついた。慌《あわ》てて走り戻ったとき、例の雄鶏が高らかに鳴いて、元助は鶏からも笑われた気がした。

　藁《わら》布《ぶ》団《とん》をたたみ、打桶を背に担ぐ。納屋《なや》の外はもやがかかっていた。畑に向かって立小便をしている伊八の横に行き、元助も前をはだけた。

伊八は小便をし終えると、畑からまだ葉のある大根を一本抜いて手籠《てかご》に入れる。この時期、大根はたいてい葉を切り落として、とうが立たないようにしてあった。元助の眼にはそれが女の腕に見える。白い腕がいくつも土中に突き立てられていた。

「権《ごん》はお前とは違って、起こさんでもついて来る」

歩き出して伊八が後ろを振り返る。犬の権が二人のあとを追って来ていた。

「あれが少しでも役に立ってくれればよかが、見ているだけじゃもんな」

伊八が首を振る。背丈は元助より低いが、首筋や肩、太腿《ふともも》もがっしりしていて、とても六十歳を過ぎているとは思えない。

「しかし、権はお前を主人と思うとる。餌《えさ》は時々しかやらんでも、慕っとるから不思議と言えば不思議、やっぱお前が命の恩人だと分かっとるとじゃろ」

五年前、藪《やぶ》の根で鳴いていた子犬を拾ってきたのは元助だ。すぐに米の研ぎ汁を飲ませた。鳴くのがやっとで目も見えていなかったのが、ひと月もするとよく動くようになり、毛並みもよくなった。

「無闇《むやみ》に吠《ほ》えんところも、しゃべらんお前とそっくりになった」

「そいでも、盗《ぬす》っ人《と》が主屋《おもや》にはいったときは、吠えました」元助がぼそりと言う。

「そげんじゃったな。ありゃ手柄やった」

　三年前の夜中、主人の屋敷に男が忍び込んだ。物置の錠を壊して中にはいり、味噌《みそ》樽《だる》に手を突っ込んでいたところに、権が吠えかかったのだ。まず女たちが起き出し、伊八と元助が駆けつけて、男を縄で縛り上げた。

「あの盗っ人、どげんなったでしょうか」

「どげんもこげんも、郡役所《こおりやくしょ》から役人が来て、村中を半日引き回したじゃろが。痩《や》せさらばえて、よろよろしながら歩きよった。元助も見とろう」

「見ました。あのあと、どげんなったか」

「あとは郡牢《こおりろう》に入れられて、取り調べたい。あの様子じゃ、初めての盗みじゃなかろう。盗みの回数によって敲《たた》きの数も違ってくる。どこの村から来たかも訊《き》かれる。あいつの物言いからして、土地の者じゃなか。日田《ひた》の方か秋月《あきづき》の方じゃろな。今は、どこの領の百姓でん、その日を食べていくのがやっと。潰《つぶ》れ百姓があちこちで出とる。苦しかと、他所《よそ》に逃げて行けば何とかなるち、誰でん思うもんな」

「そいで、敲きのあとはどげんなったとですか」

「入墨を右腕に入れられて追放。入墨は御家《おいえ》によって違うげな。ここは丸に二つ棒。ばってん、それまで生きとったかどうか。誰も食べ物を入れてやらんと、打貫牢《うちぬきろう》では水しか貰《もら》えんらしか。身寄りがない者は死ぬしかなか。飯が貰えるなら、誰だって牢屋に入りたがるけんな」

伊八は道端に寄った。「人も飢えとるなら、稲も立ち枯れしよる」

もやの先に稲がかすかに見える。背丈も低いし、葉にも勢いがなかった。

東の方がほのかに明るくなっていた。さらに二町ほど歩くと土手が見えた。勝手知った権が土手を駆け上がり、二人を待ち受ける。

目の前に川面《かわも》が開けていた。川上も川下も向こう岸も、もやに閉ざされたままだ。流れがあるというのに、音ひとつたてない川だった。

「まず面《つら》を洗わにゃ」

伊八が先に立って土手を下り、川岸にしゃがむ。上流で雨が降ったのか、いつもより水位が三寸ばかり上がっていた。幸い、水は濁っていない。

元助は手拭《てぬぐ》いを浸して絞り、首筋を拭《ふ》き上げ、顔を洗った。水を掬《すく》って口に含み、ゆすぐ。そのあと、いつものように三口飲んだ。こうやって子供の時から筑後川《ちくごがわ》の水は口に含んできている。多少濁っていても、元助にとっては汚くない。伊八は濁り水は飲むなというが、腹下しをしたこともなければ、熱を出したこともなかった。

「川上にはどれだけ村があるか分からんとぞ」

何年か前、伊八から注意されたこともあった。「そこじゃ、牛馬も洗えば、洗濯もしよる。肥桶だって洗いよるに決まっとる。そげな水ば飲むのは考えもんたい」

「そいでん、水は下っているうちにきれいになっとるけ」元助は真顔で答えた。本当なら「鮎《あゆ》も鯉《こい》も鮒《ふな》もこん水の中で元気にしとる。悪いはずはなか」とまで言いたかったが、お前は魚と同じかと、馬鹿《ばか》にされそうだったのでやめた。

今では伊八のほうも、水が澄んでいるときは飲むようになっている。

「さて始めるか」

伊八のひと声で、土手の上に戻り、打桶の綱を解く。伊八は背負って来た莚《むしろ》を水口に広げた。

土手の上からは、四間下の川面がかろうじて見える。そこだけ川岸の岩盤が入れ子形に抉《えぐ》られていた。すぐ下まで川の水が迫り、そこを目がけて土手上から桶を投げ込む。桶が上向きになって水面に浮かぶとやり直しだ。ちょうど斜になって水面にかぶりつけば上出来だった。

しかし骨が折れるのはそのあとだ。桶が水中に沈んだところを見計らって、二人で綱を引っ張り上げる。その加減が難しい。二人の息が合わないと、桶が傾き、せっかくはいった中の水がこぼれてしまう。

うまく引き上げたら、桶を傾けて、水を莚の上に流す。水口を通った水は下の田の溝に流れ込む。

　伊八はこの苦役を元助が生まれる前からこなしていた。五年ばかり前までの伊八の相棒は十松爺《じゅうまつじい》さんだった。髪の毛は半白で、長い髭も白く、少し腰も曲がっていた。伊八と十松爺さんは雨と雪の日以外、毎日夜明けと共に起き出して川に行き、打桶で水を汲《く》み上げた。まだ小さかった元助は、川岸からそれを眺めたことがあった。腰は曲がっていても、十松爺さんの足の踏ん張り方、腕の使い方は伊八以上に素早く力強かった。日が高くなるといったんやめて主屋に戻り、遅い朝餉《あさげ》を食い、日が少し傾きかける頃戻って来て、川面が見えなくなるまで水を汲む。オイッサ、エットナの掛け声は、川で魚を獲《と》る子供たちの耳に聞こえた。夕焼けに染まりながら二人が打桶を引き上げては水口に水をこぼし、また投げ下ろす光景を、元助は子供心ながらに美しいと思った。自分が十年後にそこに立つことになろうとは考えだにしなかったのだ。

　十松爺さんは冬の朝、堤に上がっていざ打桶を投げ下ろそうとしたとき、あっと叫んでそのまま倒れた。戸板に乗せられて主屋に戻ってきた十松爺さんはもう動けず、二十日ばかりあとに息を引き取った。

　初七日を過ぎた頃、元助は伊八に呼ばれた。

「その打桶を担いで、わしのあとについて来い」

土手の上に立つまで、自分が十松爺さんの後釜《あとがま》になるなど思わなかったのだが、打桶を引き上げる腰つきを見て伊八が納得したように顎《あご》を引いた。

「二日前、旦那《だんな》様から元助はどうかと言われたばってん、わしは考えさせて下さいと答えとった。お前は右の足がよう動かんじゃろ。速くは走れんし、重か荷物は運べん。無理に違いなかと思っとったが、こうも考えた。お前に十松爺さんの後継ぎが務まるとなると、もうお前の右足を誰も笑わん。お前はこまいときから、悪がきたちから歩きぶりを真似《まね》されて、ようからかわれよったろ。さすがに今じゃ、面と向かって誰も笑わんが、後ろでは指さしているもんもおる。それじゃけん、あしたからわしの相棒になれ。旦那様にも、見込みがありますと申し上げとこ。お前のおっかさんも喜ぶに決まっとる」

元助には断るすべもなかった。伊八は主屋の飯炊《めした》き場にいる母親のいとにも、その旨《むね》を告げたようだ。いとは納屋まで出向いて来て、元助に笑顔を見せた。

「伊八さんの言うことにゃ一理ある。お前があの十松しゃんの跡ば継いで打桶ができるようになれば、人の見る目が変わる。旦那様もそこば見越してのこつじゃろ。断った日にゃ、一生物笑いになると覚悟せにゃならん。やってみなっせ。お父《と》っつぁんは、足腰が強かった。お前もその血は継いどるはず。右足のこつは忘れて、やってみなっせ」

母親のひと言で元助の気持はかたまった。

翌日の日の出前から伊八について土手に行き、まず桶を投げ下ろすところからしごかれた。水面が遥《はる》か下に見えた。ほどよく投げたつもりでも土手の根に当たり、やり直しが続いた。

うまく水面に落ちても、桶が舟のように浮かんでいては水がはいらない。やり直しだ。うまく桶が沈んでも、力のない元助が腰くだけになるたび、桶が傾いて、中の水がこぼれた。

夕焼けを背に、伊八と十松爺さんが軽々と水を汲み上げていたのは、何十年にもわたる修練のたまものだったのだ。

半ときもすると、膝《ひざ》が笑い、手に血豆ができた。

「元助、はよう覚えてもらわんと、麦の苗が乾いてしまう。大根も太らん。青菜も枯れる」

伊八はわざと田畑の方を眺めやった。水口から延びた溝は、村の方角に向かい、先は立ち消えになっていた。何のことはない。溝の水が行き届く地所だけ、作物らしい青々さがあり、あとは雑草の生えるがままになっていた。

日の暮れるまで土手の上に立って打桶をした。夜は血豆の破れた手が疼《うず》き、腕も脚も腰も動くたびに軋《きし》んだ。

翌日も伊八に早々に起こされ、かじかむ両手に息を吹きかけながら川に向かった。筑後川が恨めしかった。川を恨むなど初めてだったので、元助は自分という人間が変わってきているのではないかと思い、恐《こわ》くなった。元来、筑後川は泳いだり潜ったりする場所で、恨みをいだくような所ではなかった。

それどころか、川は元助の口惜しさを包み隠してくれる場所だった。道を歩いても、走っても、立っていても、同輩の子供たちからは笑われた。右足をひきずって歩くのが、ガマ蛙《がえる》のようだと言われ、立つと五位鷺《ごいさぎ》が田の縁に立っているようだとはやされた。

元助は自分の姿を見たことはなかったが、ガマ蛙が地面を這《は》う恰好《かっこう》を眺め、自分もこんなふうに腰を動かし、いざるように進んでいるのだと目の底に焼きつけた。畦《あぜ》に立っている灰色の五位鷺に至っては、片足を引っ込めて一本足で立っていた。そう言えば自分も遠くを見つめるとき、左足一本で立っているのだ。

しかしそれもいったん川の中にはいってしまえば、他の子供たちと同じになった。陸では動きがぎこちなかった分、泳ぎは他の子供より早く覚えた。川上に向かって泳ぐのも、立ち泳ぎするのも、潜って川底の石を取ってくるのも、年上の子供たちにひけをとらなかった。川の中に浸っている限り、元助を笑う者はひとりとしていなかったのだ。

それだけに、日が暮れて泳ぎをやめ、川から上がるときは寂しい気持になった。他の子供たちが意気揚々と跳びはねるようにふざけあって歩く後ろを、元助だけは少し離れて足をひきずりながらついて行った。

七歳か八歳の頃、筑後川で年上の子が溺《おぼ》れ、夕方死体が片瀬《かたのせ》で上がったと聞いたときでさえ、川を恐ろしいとも思わず、まして恨むことなどなかったのだ。

日が射《さ》し始めて、ようやく対岸まで見渡せるようになった頃、筑後川の豊かな流れが眼下に現れる。元助の手の痛み、足腰と腕のきしみを冷ややかに笑うように、川は東から西に音もなく流れていた。

「元助、きのうよりはうまくなったぞ」

おだてられ、痛い手に綱を握り、鎧《よろい》を着たように重い手足を動かして、桶を引き上げる。前の日、たいていは桶の底にしか残らなかった水が、今は半分くらいの目減りになっていた。水口の莚にこぼしても、水は充分溝まで下っていく。それまでは莚に吸い込まれて、水の行方さえ分からなかった。

オイッサ、エットナ。オイッサ、エットナ。

伊八から習わなくても、掛け声だけは、元助の耳の底に残っていた。十松爺さんのしわがれ声は、土手下で遊ぶ子供たちのところまで確かに届いていた。夕焼け空に十松爺さんと伊八の繰り返す動きがあり、掛け声は二人の口からではなく、空の奥から響いてくるようだった。

打桶を手にして四日目、どうしても足に力がはいらず、四つん這いで土手を上がった。ガマ蛙そのものの恰好だ。朝早いので誰にも見られずにすんだのが、せめてもの幸いだった。

その日はすぐに息が上がった。伊八が見かねてひと休みしてくれた。

「やっぱし、おれには無理です」

伊八が立ち上がったとき、元助は坐《すわ》ったまま言った。

「無理かどうかは、お前が決めるんじゃなか。わしが決める。はよ立て」

伊八から睨《にら》みつけられて渋々腰を上げる。朝日を浴びてきらきら光っている川が、今は恨めしかった。あれだけ好きだった筑後川に背をむけられている気がした。

昼過ぎからは、川を見ないようにした。見るのは土手下の取水口と桶だけだ。そうすると恨みがいくらか減った。

「右足は痛くなかか」

翌日、伊八がいたわってくれたが、二寸ばかり短い右足は、汲み上げた桶《おけ》をいざ右側にある水口にあける際、却《かえ》って都合が良かった。ひょいと一拍子で腰をひねると、桶は逆さになる。

「夕べ、旦那様に申し上げた。元助は十松爺さんの跡を継ぎますっち。旦那様は目ば細めとらっしゃったぞ」

伊八は休みを告げて土手の上に胡座《あぐら》をかく。瓢簞《ひょうたん》の水を飲み、元助にもさし出してくれたが断った。自分は川の水でよかった。

「お前の身体《からだ》ば見とると、死んだお父っつぁんそっくりだ。助一《すけいち》も頑丈な身体をしとった」

伊八は思い出すような目つきを西の方に向けた。

元助は父の顔を全く知らず、いとから体格の良さと無口で働き者だったことを時折聞かされたくらいだった。

「あのとき旦那様が助一を選ばっしゃったのも、助一なら他の村の百姓と比べても村の誉れになると思わっしゃったからだ。いとの腹の中にはもうお前がいて、戦《いく》さから戻ってくる頃には生まれて、二重のお祝いができると算段しとらっしゃった。島原の乱は知っとろう」

「おっかさんから聞いとります」

「切支丹と浪人の連中が天草や島原で一揆《いっき》を起こして、有馬《ありま》の殿様にも出陣の命令が下った。稲刈りが始まろうかという時期で、お侍についていく百姓も、百石あたりひとり出さにゃいかんじゃった。戦さとなるとお侍だけじゃ話にならん。鉄砲運びや槍《やり》持ち、矢箱持ち、玉薬持ち、馬屋人足がいる。それで旦那様たち庄屋が集まって、生《いく》葉郡《はこおり》から全部で五十二人、百姓が選ばれた。おおよそひとつの村にひとりの勘定になる。選ばれた者は名誉なこつ。みんな表向きは誉めてやったが、心の中じゃ、自分が行かんでよかったと胸を撫《な》でおろしとった。助一の本心がどうじゃったか、直接訊《き》きはせんじゃった。そん頃はまだ若かった十松爺さんには、もし自分が倒れたら、生まれてくる子供をよろしく頼む、と言い残しとったげな。虫の知らせじゃったかもしれん」

そんな話は、いとからも十松爺さんからも聞かされたことはなかった。元助は川下の方を眺めながら伊八の話に聞き入る。

「筑後川の下流に大石渡しがある。師走《しわす》の初め、そこまで旦那様たちは送りに行きなさった。何でも七千か八千の軍勢で、それは見ものだったげな」

「その中に百姓は何人ぐらいおったとですか」

「千人余りが百姓じゃったげな。どこに助一がおるか旦那様は探したけど、余りの軍勢じゃけん分からんままやった。筑後川を渡ってからは神埼《かんざき》に出て、島原に着くまでひと月かかった。すぐに戦さにかかったが、相手は死にものぐるいのうえに、鉄砲も持っとる。暮にその鉄砲にやられて、家老の稲次様が命を落とされた。八十歳やったげな」

「八十歳」

元助にとっては気の遠くなるような年齢だった。高田村にも八十を過ぎた村人は二人しかいない。

「若い者をやるより、自分が行ったほうが死に場所になると思っとらっしゃったとやろ。うちの旦那様の考えとは正反対たい」

伊八は顔をしかめて唾《つば》を吐いた。「総攻撃が正月元旦じゃった。これが惨々の負け戦さで、あろうことか、江戸から直接出向かれた総大将も討死してしもうた。有馬家中にも損害が出た。討死が百人、手負いが八百人じゃった。大損害たい」

伊八の話は次第に熱を帯びて、あたかも自分がそこにいたような顔つきになった。

「お父っつぁんは、そんとき亡《な》くなったとですか」

「違う。手負いじゃった。背中に鉄砲玉を受けたげな。他領で病気か手負いになった百姓は村継送りになるじゃろ。何年か前にも、日田の御領で倒れた馬車引きがこの村を通った。旦那さんが書き付けを見て、あそこの高田渡しで、船に乗せ対岸まで運んだ」

伊八は少し上流にある船渡しを見やった。「筑前の百姓じゃったが、無事行き着いたかどうか。旦那様は、水も与え、粥《かゆ》を食べさせるように言いつけなさったけん、ありがたいありがたいと、船の中で手を合わせとった。

助一たち手負った百姓も同じじゃったとやろ。島原から順送りされて、神埼まで来たとき、助一は息絶えたげな。筑後川ば目の前にして、安堵《あんど》したとやろ。もうひと踏張りしとけば、いとにも会えたんじゃろが、神仏も薄情なことせらっしゃる。いとは、ばってん気丈じゃった。遺骸《いがい》にとりすがって泣いたあとは、もう取り乱さんじゃった。お前のばあさんじいさんのほうが気落ちしとった。なにせ、上のほうの子供三人ばはやり病いで亡くして、助一は残った宝物の息子やったけ。お前も覚えとろうが、五、六年して相継いで死なっしゃったとも、あのときの気落ちが原因じゃろ。旦那様は、いとにまた婿《むこ》を貰《もら》うよう勧めらっしゃったが、元助ば手放すことはできんし、子連れで嫁に行っても碌《ろく》なことはなかち言うて、首を縦に振らなかったとよ」

「領内から出た百姓で、鉄砲や矢に当たって死んだもんは何人くらいいたとですか」

元助は気になっていた疑問を口にした。

「両手の指をちょっと超えるくらいじゃったとは旦那様が言っとらっしゃった。手負いはもっと多かろう。何せ、お侍も含めて、死んだ者は百四十人、手負いが九百五十人。よほど相手は強かったんじゃろね。正月元旦の総攻撃は負けたばってん、数にもの言わせて、何回も城攻めばして、首領が討ちとられたのが、二月末じゃけん、城攻めにふた月はかかったことになる。切支丹の軍勢は四万足らず、攻めるほうはその三倍はいたという話じゃけな。切支丹一揆の連中は全部討死した」

伊八は右手を首に当てて、打首の仕草をした。「今でも宗門改めがあるとは、切支丹の残党がどこかにおらんか、あぶり出すためたい。見つけた者には、銀子《ぎんす》五十枚が出るとよ」

「貰《もろ》うた者はおるとですか」

「このあたりじゃ聞いたことはなか」

伊八はかぶりを振って立ち上がる。元助は土手を下って、川の水を手に掬《すく》って飲んだ。澄んだ水は、いつもの味だった。目の前を川は音もなく右から左へ流れていく。

「切支丹を見つけた者に銀子を出すくらいなら、島原の乱で死んだ者にも銀子を出すのが道理というもんじゃが、それがなかった。死んだお侍に弔い金があったかどうかは知らん。ばってん、死んだ百姓には、びた一文出らんかったのは確か。庄屋になったばかりの旦那《だんな》様がえらく腹を立てとらっしゃった」

戻って来た元助の耳元で伊八が言った。「そいでお前が生まれたときも、六歳のとき熱ば出したときも、旦那様はえろう心配しなさった。産後の肥立ちが良いように、いとにうまい物ば食わせたり、金を出して清宗《きよむね》村の庄屋さんを呼んだりした。清宗村の庄屋はお前も知っとろう」

「知っとります」

「旦那様は、あの平右衛門《へいえもん》様を兄貴のように慕っとらっしゃる。もう六十半ば過ぎじゃけ、やがて隠居されると思うが、昔から薬草に詳しか」

伊八は元助の右足に眼をやった。「お前を生んだあと、いとが元気を取り戻したのも、お前の足が悪いにもかかわらず人に負けんくらい力が出るのも、平右衛門様のおかげじゃと思ってよか。うちの旦那様も、お前のじい様とばあ様が死んだあと、いととお前を屋敷に引き取りなさった。いとひとりでは田畑仕事に無理じゃからと、荒使子《あらしこ》にして飯炊《めした》き場の仕事を与えられっしゃった。お前はそれで、飯炊き場で大きくなったようなもんだ。女たちからよう可愛《かわい》がられとったぞ。右足は悪かかもしれんが、しあわせ者と思わにゃのう」

もうひと踏ん張りと言って、伊八は打桶の綱を握り締めた。

そんなふうにして二十日あまりたったとき、帰りがけに伊八が元助を誘ったのだ。

「十松爺《じい》さんの墓に、あいさつばせにゃならん。それにお前のお父っつぁんにも」

小《こ》いっとき歩いて、ちょうど日が沈みかける頃、正建寺《しょうけんじ》に着いた。

木陰の多い境内は、幼い頃よく遊びに行った所だ。椎《しい》の実やどんぐりの実もたくさん落ちていて、拾い集めては家に持って帰った。

境内の奥は小高くなり、斜面にいくつもの墓石が並んでいた。

十松爺さんの墓は一段低い所にぽつんとあった。小さな土盛りの上に墓木が立っている。そこに何と書いてあるか、字の読めない元助には分からない。伊八も同じだ。

「十松爺さんに身内はおらん。わしが小さかとき、十松は捨て子じゃったと大人が言うのを聞いたこつがある。先代の旦那様が引き取って育てたのじゃろな。死んだとき、親類の者は誰ひとり来なかったから、やっぱりほんなこつと思った。この墓見てもそうじゃろ。近くに親戚《しんせき》の墓はなか」

伊八はあたりを見回してから膝《ひざ》をつく。元助もならった。合掌して伊八が何かぶつぶつ唱えたが、元助は何を胸の内で言うべきか分からない。

「元助、ちゃんと言うたか」

「何ばですか」

「十松爺さんの跡ば継がせてもらいます、ち言うたじゃろもん」

元助は慌《あわ》てて手を合わせたが、伊八が制した。「よかよか、わしがちゃんと伝えといたけ」伊八は笑い、声を潜めた。「わしが死んだら爺さんの横、そこが空《あ》いとろ。あそこに埋めてくれ。先祖代々の墓は向こう側にあるばってん、わしゃここがよか。わしが世話になったのは兄貴たちより十松爺さんやったけな。爺さんもひとりじゃ寂しかろ」

伊八は歩き出す。日がだいぶかげりはじめていた。烏《からす》が鎮守の森の方に集まり出していた。

「今度は、お前のお父っつぁんの墓たい。こっちやったろ」

前の年の彼岸にいと一緒に参ったきりだった。伊八は勝手を知っているのか、墓石の間を迷わずに抜けた。

小さい石の墓が三基並んでいた。右端が助一、その左二つは助一の両親のものだ。

「今度はちゃんと、お父っつぁんとじいさんばあさんに報告ばせにゃ」

言われたとおり、元助は手を合わせて、「これから打桶をしっかりやります」「十松爺さんに負けんくらい、打ち込みます」と口の中で唱えた。

隣の伊八は元助が頭を上げても、まだ長々と手を合わせていた。

寺の裏手から境内に出たとき参道を和尚《おしよう》が帰って来るのに気がつき、二人は歩みをとめた。

「伊八つぁんじゃなかね。そいから元助しゃん」

和尚から名前を呼ばれて元助はびっくりする。物心ついてこの方、何回も会っていないのに不思議だった。

「こん元助が打桶をするようになったもんで、十松爺さんとおやじさんの墓に伝えに行っとりました」

上眼づかいで伊八が言う間、元助は和尚の僧衣の裾《すそ》を眺めていた。すり切れた裾から出た素足は、紙のように平たくなった草履をしっかりと摑《つか》んでいた。

「打桶を元助しゃんが」

和尚の細めた目の上に、毛の長い眉《まゆ》があるのを元助はちらりと見て、すぐに頭を下げる。

「そりゃ、十松さんもお父っつぁんも喜びなさっとろ」

和尚は元助の右足を一瞥《いちべつ》してから元助を見据えた。「よかこつば聞いた。さっそく仏様に伝えとこ。ばってん無理のいかん程度に加減せんとな。元助しゃんが倒れたら、元も子もなか」

「へっ、ありがとうございます」元助は礼を言う。

和尚が手を合わせる仕草をする。

伊八は一礼し、元助の袖《そで》を引いてそそくさと歩き出した。


オイッサ、エットナ。オイッサ、エットナ。

川と土手の後ろの田畑を一様に覆《おお》い隠していたもやが、急に薄くなっていく。川面《かわも》で小魚が跳ねるのさえ見えた。

もう小いっとき以上は打桶を続けていた。以前ならとっくの昔にへたばっていたはずだが、今は身体がひとりでに動く。手綱を引き締めておかねばならないのは、息だけだ。息さえ整えておけば、腕も脚も腰も同じ動きを繰り返すことができた。

しかし目の前の大きな流れに対して、打桶が汲《く》み取る水の量の何と小さなことか。対岸の土手、川下と川上に眼をやりながら、最後に行きつく考えがそれだった。伊八と二人で懸命に汲み上げ、水口でこぼす。こぼされた水は確かに細い流れとなって溝の先に延びてはいく。しかしその流れは筑後川と比べると絹糸より細い。二人で一度に汲み上げる量など、水滴に等しかった。そう、雨が降り出す前に、ぽつりぽつりと落ちて来る雨滴のようなものだ。しかもその雨滴は決して本降りにはならない。いつまでもぽつりぽつりだった。

いかん、と元助は歯をくいしばる。そんなふうに思い始めるのは気力が萎え出す前触れだった。そんなとき元助は伊八の動きを無心に見つめることにしていた。

オイッサで桶を投げ下ろし、水がはいったのを見届けてエットナと声を出し、オイッサ、エットナ、オイッサ、エットナで綱をたぐり上げる。そして最後のオイッサ、エットナで桶の中味を水口にぶちまける。

掛け声によどみがないように、伊八の動きにも無駄がない。時々眼を浮かして、川を下る筏《いかだ》や、向こう岸で投網《とあみ》をする男を眺めることはある。それでいて元助の疲れ具合にも気を配り、息づかいをうかがうような目つきもした。

元助は疲れをさとられないように、乱れた息を整える。伊八の相棒になって以来、こちらから決して音を上げるようなことはするまいと思い定めていた。伊八が骨休めを口にするまでは、打桶とひとつになり身体を動かし続けるのだ。

「よし、ひと休みするか」

息が上がりかけたとき、ようやく伊八が言った。「よか仕事ばした」

草の上に腰をおろし、手籠《てかご》の中から大根を取り出す。元助はそれを受け取り、土手を下って水辺で洗った。ついでに手で掬って喉《のど》を潤《うるお》す。いつの間にか権も傍に来て、水を飲んでいた。

伊八は葉をちぎり、膝頭で大根を真二つに割る。尻《しり》のほうを元助にさし出した。器を二つ出して、小がめの中の味噌を少し盛る。小さな竹籠にはいっているのは、どじょうを干したものだ。

大根の葉は草の上に広げた。そのまま汁の具にするとえぐいが、一日干すと味が良くなると、伊八から教えられていた。帰ると、飯炊き場にいるいとに渡すのが常になっていた。

「わしら百姓は、大根に頭を下げにゃならん。米や麦、粟《あわ》や稗《ひえ》、豆も大切じゃが、日照り続きになると全部駄目になる。そんとき、頼りになるのは大根じゃろ。幸い、大根は夏場をのぞいて、一年中ある。この青首のあとはつばめ大根、かぶら大根、紅芯《こうしん》、赤紫、赤かぶ、小かぶ、最後はからし大根。夏場は、干し大根があるじゃろ。百姓は、大根が畑にある限り、何とか生きていかるる」

元助も指先で味噌を大根につけ、そのままかぶりつく。苦味と微妙な甘み、瑞々《みずみず》しさが口の中で広がる。それでいて、ふた口、み口食べると空《す》き腹が不思議に落ちつく。

伊八は竹籠の蓋《ふた》を取って、どじょうの干物を出した。どじょうの腹わたを除いて干したものを火で炙《あぶ》り、醬油《しょうゆ》に漬けたあとさらに干し上げたもので、元助はその香ばしさが好きだった。手にした串《くし》に歯を当て、少しずつ嚙《か》み切る。嚙めば嚙むほど味が良くなることも伊八から習った。

「お前はがつがつ食い過ぎる。腹が減っているからかもしれんが、日干しはよう嚙まにゃいかん。頭も尾も石のように硬くなっとろうが。それを心ば込めて嚙め」

心を込めて嚙むなど、元助はいとにも言われたことがなかったので驚いた。

しかしそうやって嚙んだ日干しのどじょうと、味噌をつけた大根は腹わたの隅々にまで沁《し》み渡った。

「しかし元助、わしは十松爺さんとここに立つたび、筑後川が憎たらしかった。こげん水が音もたてんで流れとるのに、江南原《えなみばる》の村はいつもかつも水不足じゃろが。北に筑後川、南に巨瀬川《こせがわ》があるのに、間に挟まれとる土地が台地になっとるばかりに、水が上がって来ん。南の巨瀬川に近い村は、ここより少しはましたい。足漕《あしこ》ぎの水車はお前も見たこつがあろ」

「竹棹《たけざお》にしがみついて足踏みするとでしょう」

ひと踏みごとに水車が回り、四、五尺上の地面に巨瀬川の水が揚げられるようになっていた。

「あれと同じもんをここに作るとなると、家くらい大きな水車ば作らにゃならん。漕ぐのも十人がかりになるじゃろ。ここは打桶しか使いもんにならん所じゃけな」

大根をかじり終えた伊八は、どじょうの残りの尾の部分に味噌をつけ、権を呼ぶ。権はむっくりと起き上がり尾を振った。

「待て」

伊八の命令に従い、権は後足を折って、待ての姿勢になる。「元助、もう何年になるかの、十松爺さんの跡ば継いで」

「五年です。跡ば継いだ年の夏に権ば拾いましたけん」

「権が居ついた年やったか。わしも、あと何年、打桶ができるか」

伊八は立ち上がって川面に眼をやった。

「まだまだ達者です」

伊八が打桶をできなくなるなど考えてもみなかったことなので、元助は願望をそのまま口にする。

「そげな訳にはいかん。せいぜい五年、まああと二、三年かもしれん。わしの後釜《あとがま》ば、そろそろ考えとかにゃならん」

元助は雷に打たれたように立ち尽くす。伊八以外の村人と打桶することなど、思いだにしなかった。

「よし、食え」

伊八から言われ、どじょうの干物をかじり出す権を、元助は悄然《しょうぜん》と眺めた。

二　棒晒《ぼうさら》し

その頃、寛文二年（一六六二年）から翌三年にかけて、災難が続いた。寛文二年の春から初夏は大風に見舞われ、七月から牛馬疫《えき》がはやり、冬は例年になく寒く三日に一度みぞれか雪になった。寛文三年の年があけても、一月に雪が一尺ばかり積もった。二月になってようやく暖かくなり、一日か二日雨が降った。しかし肝腎《かんじん》の三月、四月は雨の気配さえなかった。

元助と伊八は、日の出から日没まで打桶《うちおけ》を余儀なくされた。半ときごとに短い骨休めを取ったが、日が傾く頃になるともう立っているのが精一杯だった。

オイッサ、エットナ。

掛け声も小さくなっているのに気がつき、声を張り上げようと思うが、腹に力がはいらない。朝から口に入れたものといえば、筑後川の水といつもの大根と味噌《みそ》、鮒《ふな》の煮干しだった。通常ならば、昼少し前に打桶をやめて屋敷に戻り、遅い朝餉《あさげ》にありつけるのに、それができないので、空腹が満たされない。

元助は伊八を見る。同じ物を食い、同じ仕事をしているのに、へこたれた様子はない。

ただ元助の疲れをおもんぱかってか、打桶を投げ下ろすまでの時間が長くなっているだけだ。

筑後川の流れは相も変わらず悠然としている。上流は日照りなど無縁なのに違いなかった。水源になっている高い山には適度に雨が降り、地面から沁《し》み出した水が集まり、谷川が小川になり、それがいくつか合流し最後に筑後川になる。水源の山々は楠《くすのき》や椎《しい》、樫《かし》が繁《しげ》り、落葉やしだに覆《おお》われた地面はいつも湿っていて、青々とした苔《こけ》がついた岩の間からは清水が湧《わ》き出ている。元助は筑後川の源を思い描くことができる。乾ききった目の前の台地とは大違いだった。

「まだ荒かきもすんどらん田んぼばかりじゃろ。土が硬くなってしもうて、牛に犂《すき》を引かせても、前に進まん。雨を待つしかなか。ばってん、あまり待ち過ぎて田植えが遅うなると、苗が小さいうちに虫に食われてしまうけんな」

伊八は打桶のあい間に西の空を眺めやった。

伊八が虫害を懸念《けねん》する四月の末、ようやく降雨をみた。その好機を逃さじと、村中で田植えが始まった。田植えが終わったのは五月の節句のあとで、その間元助と伊八は打桶を休んで、莚編《むしろあ》みに打ち込むことができた。

ところが五月十日から五日間続いた雨で、田の稲は水の下に漬かり、大半の苗が腐ってしまった。雨は三日間止《や》んだだけで、十八日から再び大雨になった。

「旦那《だんな》様が土手を見て来いと言わっしゃった」

日がな莚編みをしていた元助に伊八が言ったのは二十二日の昼だった。藁編笠《わらあみがさ》をかぶり、蓑《みの》を背につけて、二人で雨の中を走り出た。

苗を植えたばかりの田はほとんど冠水し、低い所は池のようになっていた。道もくるぶしまで水がたまり、所々高くなっている所でも、ぬかるみに足が取られそうになる。

「水が必要なときに雨は降らんで、いらんときに降り続きよる」

伊八が舌打ちをした。元助は日照りの続いた三月四月の二ヵ月間、毎日土手に行き、打桶をした苦労を思い出す。あれはいったい何のためだったのか。川の水を汲《く》めども汲めども、溝の流れはほんの木綿糸くらいの細さにしかならなかった。それが今は一面の水浸しだ。

「土手が切れるちゅうことはなかですか。もしそげんなったら、家も水に漬かりますが」

思わず伊八に訊《き》いていた。

「わしが生まれてこの方、それはなか。江南原の土手は切れようがなかと。どうしてだか分かるか」

伊八は笠をかぶった頭を向けた。篠《しの》つく雨のため、声を張り上げないと聞こえない。

「土手が頑丈にできとるとでしょう」

「違う。このあたりの筑後川は、深く抉《えぐ》られた所を通っとる。言うなれば地面に一本、深か筋ば彫って、その底を流れとると思えばよか。おまけに川幅も広か。お前は、何年も土手から打桶しよって気づかんやったとか」

伊八は子供を見るような眼で元助を見やった。「ばってん、川下の方は違うぞ。大水のたびに、どこかの土手が切るる。切るるたびに、土手は修理さるるが、また大雨が降ると切るる。その繰り返したい。昔から筑後川は暴れ川ち言われとった」

「恐ろしかですね」

土手が切れて、溢《あふ》れた水が押し寄せる様が思い浮かぶ。

「馬鹿《ばか》、そりゃ五年か十年に一回たい。大水がなか年は、いつも田畑に水が来とる。家はたいてい、高台に立っとるか、二階造りになって、天井には舟が吊《つ》るしてある。大水が来たら、何でんかんでん二階に上げて、四、五日待っとりゃ、水はひく。恐ろしかこつは恐ろしかろうが、わしは、土手が全く切れん、筑後川が素通りしていく江南原のほうが、よっぽど恐ろしかち思う」

前方に、いつも打桶をする土手が見えていた。元助が先に立って土手を登る。

これまで見たことがない川の姿が目の前にあった。どでかい大蛇の背じゃと元助は思った。茶色く濁った川面《かわも》を、木の枝や藁、板壁のような物が流れていく。いや流れるのではなく、川そのものが内側から押し上げる力で蠢《うごめ》いている。

大蛇の背は、手を伸ばせば届くくらい近い所にあった。いま、打桶を投げ込めと言われれば雑作ない。引き上げるのにも、ひと呼吸ですむ。しかし荒れ狂った大蛇の背は硬く、投げた打桶は簡単にはね返されそうだった。

伊八は呆《ほう》けたように西の方を眺めていた。

「間違いなか。川下じゃ土手が切れとる。そこのもんにゃ気の毒じゃが」

「どうして分かるとですか」

「激しか流ればってん、荒れ狂っとらんやろが。こりゃ、どこかに排《は》け口《ぐち》ができた証《あか》し」

伊八は土手下一間ほどの所を指さした。「藁の跡がついとろう。今朝までは、水があそこまで来とった。川下で土手が切れたんで水かさが減っとるとみてよか」

濁流が両側の土手いっぱいに流れている割に、音はしないのが却《かえ》って不気味だった。蓑笠に当たる雨音だけが耳をつく。

村の方も静かだった。雨脚の奥に、いくつかの村や竹藪《たけやぶ》、雑木林が、水に浮かぶ島のようにちらばっている。筑後川の流れと違い、何も動くものはない。

「この分なら、一日か二日で水はひくばい。旦那様も安心なさっしゃる」

伊八はもう一度川上と川下を見やり、土手を下った。

「しばらく打桶ばせんでよかですね」元助は思わず口にした。

「よか」

伊八が怒ったように頷《うなず》き、四、五歩進んだところで続けた。「来る日も来る日も打桶をしとるときのほうが、ここいらの村におうとるのかもしれん。水がひいたら、また稲の植えつけせにゃならんが、苗はどこにもなかろう。今から種まいても遅かし」

「どげんなるとですか」急に心配になって元助は訊く。

「残った苗ば育つるしかなか。はよ水がひいてくるると、助かる苗もある」

元助と伊八が主屋《おもや》まで戻ったとき、ちょうど巨瀬川の様子を見に行っていた長吉《ちようきち》も帰っていた。

「土手が切れて、家が流されとった」

「どこの村か」伊八が口を尖《とが》らす。

「菅《すげ》村。流された家が四軒、傾いたのが八軒と村のもんが言っとりました。みんな川の北側にある家です。牛が流さるるとこも、この眼で見た。助けようにも、どげんもできん」長吉はぶるっと身体《からだ》を震わせる。

「牛がか」

「牛はあとまわしにして家の者がまず逃げたとでしょう。必死で泳いどりました」長吉は目を赤くする。

「牛はどうにかなる。人が死んどらにゃよかが」

長吉は不服そうだったが、「村ん者は、人死にはなかごたると言っとりました」と答えた。

「他ん村に災《わざわ》いはなかか」

「樋口《ひのくち》村のはずれにある家も水に漬かっとりました」

「水はこっちには来んやろね」伊八が確かめる。

「そん心配はなかごたるです」

「よし、旦那様のとこに行こう」

伊八と長吉は連れ立って主屋に向かった。

元助は蓑笠を脱ぎ、濡《ぬ》れた身体を手拭《てぬぐ》いでふく。

家も牛も流されるとは大変なことだと、元助は思った。巨瀬川の南側には長々と耳《み》納《のう》の山が連なっている。そこに降った水が集まるのが巨瀬川で、そんなに川幅も広くなく、土手も低い。大雨が続くとすぐ洪水になるので、鉄砲川とも言われていた。

雨はいくらか小降りになっていた。納屋《なや》の軒下に立って耳納山の方を眺める。目をこらすと、山影がうっすらと認められた。これだけの大水になりながら、この高田村で水浸しになった家もなく、家畜の流失も出ていないのは不幸中の幸いだった。

牛好きの長吉には悪いが、流された牛は、補うことができた。村ごとの牛馬の数は庄屋から大庄屋にいつも伝達され、死ねば、新たに買い入れる拝領銀が郡《こおり》役所から支払われる。伊八が「流されたのが牛でよかった」と呟《つぶや》いたのはそのためだろう。

人の命は奪われなかったとしても、家を流された百姓はいったいどうするのか。水がひいたあと、とりあえずの掘立小屋を造り、雨風をしのがねばならない。じきに日の照りつける夏が来る。

伊八が言っていたように、水がひいたあと稲の苗がいくらか残っていればいいが、全滅ならば、大急ぎで苗を作らねばならない。しかしその種籾《たねもみ》の貯《たくわ》えがあるのだろうか。たぶんたいていの百姓はそんな予備の籾など持っていない。庄屋を通じて他郡の村から高い利子で借り入れなければならない。

他郡の村でも他所に貸す余裕がなかった場合、郡役所に申し出るしかない。その利子は相場よりぐんと高く、運良く稲が育って実を結んだとしても、元の種籾と利子を取ってしまえば、年貢《ねんぐ》を納めたあとの本人の取り分はいくらもない。いや、年貢には足りずに、また借り米をしなければならないのだ。

元助は屋敷の納屋にはいった盗《ぬす》っ人《と》を思い出す。東の方から流れて来た百姓だという話だったが、たぶん同じような理由があったのに違いない。田畑を耕したところで、自分たちの食い扶持《ぶち》も出ないので、村を捨てたのだ。つれあいも子供もいたはずだが、それはどうなったのか。妻子は里に帰したのだろうか。考えれば考えるほど、その盗っ人の身の上が江南原のすべての百姓の身の上と重なってくる。

盗っ人まで落ちるか落ちないかは、紙一重の差かもしれないと思いつつ、元助は納屋に戻って、莚編みを始める。雨の日にやることといえば、莚編み、縄ない、菰《こも》編みだった。もちろんその前に藁打ちをして、柔らかい藁を用意しておかねばならない。

こうやって稲藁仕事をし、打桶を続け、田畑に出ておられる日々を続けられるだけでも、幸せなのかもしれなかった。

ひょっとしたら、と元助は考える。こんな大水が出たのも、日頃から自分の住んでいる土地の不幸せを恨んだ罰《ばち》ではないか。村人の不幸や不満、恨みが一年一年積み重なって、器一杯になったとき、天罰として大雨が降り、大水になるのだ——。元助はそこまで考えて納得する。不平はもう言うまい。今は一刻も早く水がひくのを願うだけだ。雨が止めば再び日照りの日々になる。また打桶が待っている。不平たらたらの眼で筑後川を眺めず、目の下に水が流れているだけで有難いと思おう。元助はそう自分に言いきかせた。

翌日、田畑を覆っていた水がひき、どの村でも植えつけたばかりの苗が傷《いた》んでいないか、調べてまわった。高田村で五割、禍害のすくなかった行徳《ぎょうとく》や溝口村で七割という結果が出た。しかし巨瀬川寄りの菅村や清宗村、島村、樋口村では、一割か二割の生き残りしかなく、大急ぎで新しい苗を調達しなければならなかったようだ。種籾は吉井町の大庄屋から借り受けたらしかった。

「こうやって苗が育っとるのを見ると嬉《うれ》しか。稲田ちいうもんは、青々しとかにゃいかん。一面に水が張って白くなっとったら、もう死に田たい」

打桶をしながら、伊八は田畑の方を見渡した。所々苗がなく土が露出してはいるが、稲田らしい青さはかろうじて保たれていた。

「菅村のほうの田んぼはどげんなっとりますか」

「まだ苗が肥《ふと》りきらん。遅植えになったから育つかどうか。肥っても、実入りが悪かろうし、そん前に虫にやられんとよかが」

気の毒と言わんばかりに伊八は顔をしかめた。

「虫追いが大変ですね」

稲が育つ頃、蝗《いなご》が出る。六月半ばになると、虫害の出具合によっては虫追いを始めなければならない。

「それこそ死にもの狂いで、虫取りせにゃならん。村中総出たい」

田に充分に水をひける川下の村では、田に薄く油を入れるらしかった。村民総出で田に出、笹《ささ》や布切れで蝗を叩《たた》き落とせば、油で飛べなくなる。

充分水を張れないこのあたりでは、網で採るか、手で摑《つか》まえて殺すしかない。

「これは昔、十松爺《じい》さんから聞いたこつじゃが、日田の方に、食べられる土が見つかったらしかった」

「土が食べられるとですか」

「そいで、こっちの村からも、あっちの村からも笊《ざる》を持った百姓が集まってきた」

「どげな土ですかね」元助は首をひねる。

「ところが、みんな糞《ふん》づまりになってしもうて、奉行様がとうとう土掘りを禁止して、騒ぎはおさまったげな。飢えた奴《やつ》が血迷うて言い出したのじゃろ。空《す》き腹ばかかえとると、そげな話はすぐ広まる。土が食えるもんなら、百姓は腹空かさんでよか」伊八は鼻の先で笑った。

筑後川はまたもとの静かな姿に戻っていた。岸辺の柳の枝にまだ藁がひっかかっているのが、大水の跡だった。

向こう岸に人が出ていた。浅瀬に出て底を雁爪《がんづめ》でさらっているのは、川底の砂地に棲《す》むかまつこを獲《と》っているのだろう。白身の美味な魚だ。上流の方には渡し舟が出ていた。三、四人が乗り、渡し守《もり》がゆっくり櫓《ろ》を漕《こ》いでいる。

何の変哲もない穏やかな川でいいのだと元助は思う。もう川に向かって不平は言わず、不満にも思わぬことにしていた。

日が高くなりかけた頃、打桶《うちおけ》をやめて帰途につく。途中迂回《うかい》して溝の方に向かう。前日の夕方、小さな溝に伊八が筌《うけ》を仕掛けていた。

竹で編んだ筌は草で覆《おお》って、人目にはつかないようにしてある。伊八が引き上げた筌には、どじょうが八匹、小鮒《こぶな》が二匹はいっていた。

「大漁ばい」伊八がしてやったりという顔をする。

屋敷にはいると、いとが納屋の前で待ち受けていた。

「元助しゃん、旦那様《だんなさま》が呼んでござる。土手まで迎えに行くところじゃったけど、二人が帰って来るのが見えたけ」

「何の用事じゃろか」元助は心配になって母親の顔を見た。

「つべこべ言わんで、はよ行け」伊八が顎《あご》をしゃくり上げる。

いとについて主屋の方に小走りし、土間にはいった。広い主屋の屋根の下に足を踏み入れるのは、ひと月に一度あるかないかだった。

右側の台所にいた女たちがこちらを向いた。元助は身をかがめ頭を下げてから、土間の奥へ進む。土間は鍵形《かぎがた》に左に曲がり、元助は座敷に向かって、「旦那様、元助が参りました」と小さな声で呼びかけた。

板襖《いたぶすま》が開く音を聞いて、元助は頭を下げた。

「元助、打桶によう精ば出しよる。伊八ともども、ほんにご苦労」

元助の脇《わき》でいとも膝《ひざ》をついている。元助は眼を浮かし、上がり框《がまち》を見つめた。

「今日はちょっと用事ば頼まれてくれんやろか。他のもんば行かせるより、足の悪かお前に行ってもろうたほうが、あとでいらぬ風聞がたたんような気がする」

足の悪いのが何か役立つことがあるのかと、元助は耳を疑った。

「はい、何なりと」いとが代わりに答えていた。

「菅村まで行ってくれ。村の入口の四つ辻《つじ》に庄屋どんがおらっしゃる。顔は知っとろ。猪山作之丞殿《いやまさくのじょう》だ」

「知っとります」

庄屋の寄合いがこの屋敷であるとき、ひときわ背丈の高い四十がらみの庄屋がいた。伊八が名前を教えてくれた。

「会《お》うたら、わしが詫《わ》びていたと伝えてくれんか」

「それだけですか」元助は釈然とせず顔を上げた。

「すまんことじゃった、と頭を下げていたと言えば、先方は何のこつか分かる。わしがじきじきに行くわけにはいかんとよ」

助左衛門《すけざえもん》が沈痛な表情で首を振った。「用事がすんだら、またここに戻って来い。どげんじゃったか知りたか。それから、これば持って行け」

助左衛門は竹筒をさし出す。何なのか元助が訊《き》こうとすると、早く行けというように助左衛門は右手をひらつかせた。

「いったい何があったとね」

主屋の出口で元助はいとに訊いた。

「作之丞様がお仕置きにあわれたらしか」

いとは元助の顔を見上げる。「お前は旦那様の代わりに行くのじゃけ、くれぐれも失礼がなかように」

屋敷を出ても、元助はまだ自分が何の役目を言い渡されたのか分からなかった。

気がつくと権がいつの間にか後ろについて来ていた。

菅村までは半里もない道のりだ。途中、夏梅《なつうめ》村の脇を通り、今竹《いまたけ》村を抜けた。田の稲の育ち具合に眼がいき、高田村の稲とどうしても比べてしまう。夏梅村の田は高田と大して変わらず、大水で腐れた苗は二、三割方にとどまっているようだった。今竹村ではそれが半分になり、田一枚全部を新たに植え直した所もあちこちに見えた。伊八が心配していたように、遅植えした苗はまだ一尺くらいにしか伸びていない。この分だと、虫害が心配だった。

水桶を天秤棒《てんびんぼう》で担《かつ》いで来た夫婦者と出会い、元助は道を譲った。二人は、農具も持たず手ぶらで歩く元助を軽蔑《けいべつ》するかのように一瞥《いちべつ》しただけだ。

菅村が近づくにつれ、田畑に出ている百姓の姿が少なくなった。家の庭先にも人の姿がなく、まるで村ごと夜逃げをしたような静けさだった。

道の先の四つ辻に、見慣れない棒が立てられているのに元助は気がつく。棒には、なんと人が縛られている。元助は足をたぐって歩みを速めた。

「庄屋様」

思いもかけぬ光景に、元助は駆け寄った。菅村の庄屋猪山作之丞が棒晒《ぼうさら》しにあっていた。そんな仕置きがあるとは聞いていたが、実際眼にするのは初めてだった。棒晒しの脇に、何か書かれた立札があったが元助には読めない。

「近寄ったらいかん。あとで咎《とが》めらるる」

作之丞が顔を上げ、掠《かす》れ声を出した。

元助は周囲を見回し、遠くの人影しかないのを確かめてひざまずく。助左衛門が竹筒を持って行けと言った理由が今ようやく呑《の》み込めた。

「旦那様から預かって来ました」

竹筒の木栓を抜いて立ち上がり、作之丞の口に持っていく。

「お前までが罰せらるるぞ」

作之丞が睨《にら》みつけたが元助は首を振った。

「よかです。旦那様の言いつけですけん。旦那様は、ほんにすまんことをしたと言ってありました」

「助左衛門殿がか」

「それば伝えに、ここにやらされたとです。この竹筒も持たされました。どうか飲んで下さい」

元助は背伸びして、筒を作之丞の口元に持っていく。作之丞はひと口、ふた口、迷うように口に含んだあと、勢いよく喉《のど》を鳴らして飲む。

「うまかった。元助、はよ行け。助左衛門殿を恨んどりはせん。重々、礼ば言っとくれ」

作之丞が潤《うる》んだ眼を向けた。どうして自分の名前を菅村の庄屋が知っているのか。元助は恐れ入って身をかがめた。

「元助、お前のおやじさんのことを知らん庄屋はおらん。切支丹征伐に駆り出されて、遺骸《いがい》で帰って来た。どの庄屋も人柱じゃったと思うとる。さ、行かんと」

作之丞は菅村の方を見やって顎を突き上げた。

「へっ」元助は身をかがめたまま歩き出す。今まで棒の傍に坐《すわ》っていた権も立ち上がった。

元助が同じ道を引き返さなかったのは、菅村から走り出した二人の人影を見たからだ。恰好《かっこう》からして村人ではなかった。きびすを返せば、逃げたと思われる。素知らぬ顔でそのまま道を先に進んだほうがいい。咄嗟《とっさ》にそう判断した。

「待たんか」

先に若いほうの侍が走り寄ったので、権が吠《ほ》えかかる。若侍が足で蹴《け》やった。権は鳴き声を上げて逃げ、離れた所で振り返り、身構えた。元助は覚悟を決め、腰をかがめる。

「どこのもんか、お前は」

若侍から詰問《きつもん》されて、元助は身をさらに縮める。

「高田村の百姓、元助と申します」

「高田村の百姓が、どうして菅村の庄屋の介抱をしたとか」

水を飲ませたのを咎められているのだと元助は思った。

「誰かに頼まれたとか」追いついた年寄りの侍が訊いた。

この侍は何度も見かけており、見覚えがあった。

「誰にも頼まれとりまっせん」

高田村の庄屋の名前は出してはいけないのだと、元助は瞬時に考える。

「そんなら何ばしに来たとか」若侍が問い詰める。

「このあたりの田んぼを見に来ました。高田村あたりと比べて、出来がどげんかと」

元助は下を向いたままで答える。「そんとき、庄屋殿の姿に気がついて、喉が渇いとるごつ見えたんで、竹筒の水ばやってしもうたとです。庄屋殿は、そげなこつするなと言われたとばってん」

最後のほうはしどろもどろになっていた。

「棒晒しにあっとる者ば、介抱しちゃならんこつは知らんのか」

「あれが棒晒しとは知りませんでした」

「そいであの庄屋は水は飲んだか」年寄りの侍が訊いた。

「ひと口だけ」

「こいつも棒晒ししときましょうか。見せしめになります。おい、立て」

若侍から言われて元助は腰を上げる。頭《こうべ》は垂れたままだったが、胸が早鐘のように鳴り出す。

「お前は足が悪かとか」年寄りの侍が元助の右足を見やる。

「へっ」元助は肩をすぼめた。

二人の侍は顔を見合わす。

「もうよか、行け」年寄りのほうが道の先を指さした。

「へっ」

元助は腰をかがめたまま歩き出す。一町ばかり行ったところで権が追いついてきた。

喉がからからになっていた。菅村の庄屋が口をつけた竹筒を、口にもっていく。後ろからまだ侍二人が見ているような気がしたが、構わず歩きながら水を飲み下した。すんでのところで自分までも棒晒しになるところだった。あの年寄りの侍がいなければ、庄屋と並んで自分も棒に縛りつけられていたに違いない。吠えかかる権は、刀を抜かれて一刀両断だろう。

あの小柄で少し背中の曲がった老侍を見かけるようになったのは、三、四年前からだった。今日のように若侍や従者を連れていることはなく、いつもひとりで馬に跨《また》がっていた。その馬もかなりの齢《とし》だとは、いななき声で分かった。

困ったのは打桶をしている最中に、何町か先の道を、老馬に乗って侍が通ったときだった。打桶をやめて、土手を下ってひざまずくべきか、そのまま打桶を続けるべきか、見分けが難しい。

「あのお侍がこっちに向かったら、打桶はやめるとぞ」

伊八が小声で言ったが、馬は土手に向かうことなく、村の方に遠ざかって行った。その後も何度か姿を見かけたが、幸い打桶を見に来る様子はなく、伊八と二人で打桶は続けられた。

「変わった年寄り侍」

自分よりは十歳くらいは年取った老侍を、伊八はそう呼んだ。

下古賀《しもこが》と上古賀《かみ》の村を抜けて、今泉《いまいずみ》村の手前の道を通り、高田村に戻ったのは一ときばかりあとだった。

「遅かったのう。心配しとった」

主屋に伺うと、助左衛門が事情を知りたそうな顔をした。

「すんません。菅村から引き返さんで、古賀の方に回って戻りましたもんで」元助はしゃがんで言上《ごんじよう》する。

「何かあったとか」

「何《なん》もありません」元助は手を左右に動かす。侍二人に難癖をつけられたことは言わないほうがいいと思った。

「そんならよかが。作之丞殿はどげんじゃったか」助左衛門は身を乗り出した。

「丸太に縛りつけられておられました。横に何か札が立てられとったです」

「捨札じゃろ。お前には読めんじゃろが、書いとる罪状は見当がつく。それで、すまんこつしたとは言うてくれたか」

「言いました。そしたら、そげなこつは心配なさらんでよか、恨みなどしとりません、と伝えてくれと頼まれました」

元助は作之丞が口にした言葉そのものは覚えていない。そんな物言いだったことを思い出して主人に告げる。

「そうか」助左衛門が深々と頷《うなず》く。

「喉が渇いておらっしゃったとです。この竹筒の水ばうまそうに飲まれました。早《はよ》う行け、こんなこつするとお前が咎めを受けるぞ、と言われました」

答えながら急に元助は胸が詰まる。庄屋の哀れな恰好、自分の村のはずれの辻で棒晒しにあわなければならない恥辱、そして島原の乱で死んだ父親のことまで触れたのが、ひと息に思い出されたのだ。

「元助、泣くな」そう言う助左衛門も目を赤くしていた。「村の者も、自分とこの庄屋どんがあんな風にされとるので、水くらい持って行きたかっとろ。ばってん、それはしちゃならんこつになっとる。もしも見つかったら、棒晒しが二日に延びる」

「そげな決まりですか」

元助は若侍の顔を思い出して背筋が寒くなる。自分が棒晒しにされるのも恐ろしいが、菅村の庄屋の刑が延びるほうがまだ恐ろしい。あの老侍が見逃してくれたのは、単に運が良かったのではなく、大変な厚意だったのだ。

「棒晒しは、日の出から日の入りまでの一日の刑になっとる。近在の庄屋や百姓への見せしめたい」助左衛門は唇をかんだ。

「作之丞様は、どげな訳で罰を受けなさっとですか」元助はここは主人から訊いておくべきだと思った。

「作之丞殿は郡奉行《こおりぶぎょう》に直訴状を書かれた」

「どげな書状ばですか」

元助の問いに助左衛門は少し迷ったようだったが、やがて奥の間に引っ込み、書き付けを持って来た。

「これが書状の写しだ。作之丞殿の気持がよう書かれとる。お前には分からんかもしれんが、せっかくだから読んでやる」

助左衛門が背筋を伸ばして読み出したので、元助は頭を垂れ、全身を耳にして聞き入った。

嘆願書

恐れながら今一度お願い上げ候事《そうろうこと》、農は国の本《もと》、百姓は天下の民、公儀の御情にあずかりたく、それがし幼少より喧嘩《けんか》口論もせず、酒色に溺《おぼ》れず、博奕《ばくち》を好まず、若くして親より継ぎし庄屋の家業を天命と覚悟し、力の限り相応に出精し尽くし、年貢の上納に遅滞する事もなく二十五年にわたって務め上げし身なれば、かかる難儀にあうべき筈《はず》はなけれども、数年来の天照り旱《かん》ばつに続いて、この大雨と洪水、巨瀬川土手の決潰《けっかい》は近在の村々に多大なる災禍をもたらし、植え終えしばかりの苗は根腐れあるいは流され、あまつさえ家を失いたる村民も菅村にて五指に余り、かろうじて倒壊を免れたる者らも家の修理に出費相当に及び、田畑に残る苗、作物は大水前の姿はもはや見られず、里芋や菜などの作物は植え替えによる耕作が可能なれども、稲苗においてはもはや時既に遅く、このまま夏、秋に至りても応分の年貢は到底納めるに難く、仮に現年貢高の検見《けみ》改めに御慈悲なかりせば、一円の村の百姓ことごとく死に申す体にまかりなり候、百姓が餓死しては、他にまた来たる年に稲を植え、年貢米を上納すべき者皆無にして、菅村の家を流されし百姓のある者は、稲田も潰《つぶ》れしが、この秋の年貢を納めるべく、女房を他の村に十俵の米の代わりに売らんと算段しつつあると、それがし聞き及び、かくなる困窮が他に波及致し候わば、御田地持ちこたえ難く、村々にて潰れ百姓出来つかまつり候事と相成り、百姓こそ国の宝にして、是非もなく公儀の御情にあずかりたく、それがしの身、大勢の百姓の命と生計を守るべく、たとえわが身が筑後川の堤の草の露と消え、禽獣《きんじゅう》の餌《え》食《じき》になろうとも、村民のために死ぬる事は元より覚悟の事なれば、年貢御免返上の

件聞き届けられ候わば、猪山父子の一命召し上げられ候ても、村人の助けと相成り、
重々有難き仕合わせに存じ奉《たてまつ》り候。

寛文三年五月廿二日　　生葉郡菅村庄屋　猪山作之丞

郡奉行様

元助は、難しい書き付けの仔細《しさい》は理解できなかった。しかし、百姓が天下の民であり、国の根本であるというくだりは耳に残った。そして何よりも、菅村の庄屋が命を懸けて、年貢を減らしてもらうよう訴えているのが、不思議に呑み込めたのだ。そう思うと、棒晒しにあった庄屋の姿が瞼《まぶた》の裏に重なり、涙が出てきた。はらはらと流れ落ちる涙を、元助はこぶしでぬぐった。

「元助、お前、分かったとか」

驚いたように助左衛門が片膝《かたひざ》をつく。元助は頷き、主人の目も赤く潤んでいるのに気がついた。

「そうじゃろ。誰が読んでも、真情溢《あふ》るる訴状になっとる。さすが作之丞殿だと感心したが、連名の誘いにはのらんかった。作之丞殿は、他にも二、三の庄屋に呼びかけ

たらしか。ばってん、賛同する勇気のあるもんは、おらんかった。そいで自分ひとりの名で郡奉行に届けらっしゃった。訴状は直ちに郡代まで上がり、すぐに吉井の大庄屋田代又左衛門《たしろまたざえもん》殿が呼びつけられて、目付け不充分として閉居十日を申し渡されらっしゃった。作之丞殿自身は度重なる越訴《おつそ》の罪で、棒晒しの刑になったとたい。越訴にしては罪が軽かったとは、やっぱしこの書状に理があり、真情が溢れとるからじゃろ」

助左衛門は書状を畳みながら立ち上がる。

「そいで、年貢の件はどげんなったとでしょうか」元助はすがるようにして訊いた。

「そりゃ変わらん」

吐き捨てるように助左衛門が首を振る。「前例ばつくったらいかんちいうのが郡役所の考え。菅村の年貢を減免すれば、他の村からも声が上がる。この近在の村全体に声が広がれば、領内全体に禍を及ぼす。そうなるとここは立ちゆかん。川の土手のようなもんで、一ヵ所が切れると、傷口が広がって収拾がつかんようになる。百姓どもは、死なぬように生きぬように合点し収納申しつくるべし。昔からよう言ったもんで、公儀にはそん考えしかなかごたる」

「菅村の百姓はどげんなりますか」元助の最後の問いだった。

「できた米は全部供出して、不足の分は来年まわしか、何年かに割りふって上納せにゃならん。その間は、雑穀粥でしのぐしかなか。病人や年寄りは死に、壮年の者の何人かは作之丞殿が書きつけたとおり、田を売ったり、逃散《ちようさん》するじゃろ。術無《すべな》か」

助左衛門は答え、元助の労をねぎらってから奥に引っ込んだ。

三　藁《わら》　餅《もち》

「山札《やまふだ》が出たけ、あしたは朝から耳納山にはいる」

打桶《うちおけ》の帰りに伊八がぽつりと言った。「山札は村々によって枚数が違っとる。大庄屋殿の家に庄屋が集まって決めたげな。稲の出来の悪い村は十枚から二十枚、高田村は三枚と旦那《だんな》様が言っとらっしゃった。お前とわしの分で二枚、あと一枚は他の家に回しゃっしゃった。三日間ずつ回り持ちにして、希望する者は山にはいらるる」

耳納山には、打桶を始めた翌年、一日だけ伊八に連れられて行ったことはあった。そのときは言われるままに葛《くず》の根や、蕨《わらび》の根、いどろの根を掘った。既に山のあちこちに掘られた跡があり、手つかずの根は、山の奥の方か急な斜面にしか残っていなかった。

「萱村は、山にでもはいらんことには食い物がなかでしょうね」

「山札が出される前から、こっそり山入りするもんがおったらしか。それは他の村の庄屋も見て見ぬふりばしとったとじゃろ。百姓が山にはいらんと食っていけんちいうのは、ほんに哀れなこつ」

伊八は、下女が運んで来た大根飯をかきこみながら呟《つぶや》いた。元助も夕餉《ゆうげ》に箸《はし》をつける。干し大根を水で戻し、麦と粟《あわ》の中に入れて炊《た》いた粥《かゆ》だった。菜は焼いた干しなまずで、味噌《みそ》をといた汁には、干し蝗《いなご》をひいた粉とかぶら菜の切れ端が入っている。干し蝗は口にした最初は香ばしいが、あとに苦味が残る。粥でそのたび苦味を消した。なまずも丸かじりして腹の中におさめ、汁を飲みつくしても、腹一杯にはほど遠かった。

元助は食べ終わった二人の器を井戸端で洗い、厨《くりや》まで持っていく。いと、いとたちが夕餉をとっていた。やはり元助と伊八が食べたものと同じだ。いやひとり分の量は、元助たちのものより少ないのかもしれない。

「あした、山に行くけん」

いとが顔を上げたので元助は告げた。

「蕨の太か根ば取って来て欲しか」いとが答えた。

「それから松の皮はなるべく厚かとを」下女のひとりが言い添える。

「はい、これば頼んどくよ」

いとが大きな笊《ざる》を元助に渡す。中には炊いた藁がはいっていて、まだ温かかった。

元助は外に出る。明日は、いとたちが望むとおりの根や松の皮を、背負子《しょいこ》一杯に採ってきてやりたかった。

蕨の根はそのまま茹《ゆ》でても食べられるが、松の皮は食べられるようにするまでに手間がかかる。下女が厚い皮がいいと言ったのには訳があった。皮の外側の荒皮も内側の甘皮も食べるには不向きで、口にできるのはその間の薄いところだけだ。それを木《き》臼《うす》で砕いて石臼で挽《ひ》き、ふるいにかける。できた粉にはまだ渋味と松やにの臭みが残っているので、たっぷりの水を加えて煮たて、ひと晩寝かせてから布で絞らねばならない。それが松皮粉で、生蕨の根やきび、稗《ひえ》、粟と混ぜて食べることができた。かすかに残る松やにの味と臭みは、風味と思えば気にならなかった。

松皮粉を日干ししたあと炒《い》ったものが香煎《こうせん》で、これも米屑《こめくず》や粟屑、茶殻の粉を混ぜて食べる。もともと味もそっけもない雑穀の屑に、独特の風味がつくものの、何日も続けて食べられるものではない。

納屋《なや》に戻ると、もう伊八が藁を刻んでいた。

元助は石臼の前に坐《すわ》る。厨で貰《もら》った笊を脇《わき》に置いて、ひとつかみ石臼の穴に入れた。

「厚か松皮と、蕨の根を取って来て欲しからしいです」

藁切りに余念がない伊八に言う。

「山にゃどのくらい残っとるかね。みんなそれば狙《ねら》っとるじゃろうし」伊八は頷《うなず》きながら答える。

もう切った藁が大笊の中に山盛りになっていた。牛ならそのまま食べてくれるのだが、と元助は思う。人間の口にはいるまでは松皮粉と同じで、気が遠くなるような手間がかかった。

伊八がしているのは、藁の先と根元のほうを、それぞれ五寸ほど切り落とし、真中の茎だけを細かく刻む作業だ。刻んだ藁は三日間水に漬け、そのあと木綿袋に入れてよく絞る。そこまでは伊八と元助の受け持ちだった。

絞り切った藁は厨まで運び、そこでいとたちが大きな焙烙《ほうろく》で炒る。蒸し焼きになった藁はまだ硬いところがあって、石臼で挽かねばならない。

「誰が考えついたとですかね」元助は石臼を回しながら、つい訊《き》いてしまう。

「何ばか」

「松皮を食べたり、藁を食べたりするのも、誰かが初めて考え出したとでっしょ」

「昔の百姓たい。百姓が考えんこつには、牛や馬は考えてくれん。お上も考えてくれん」

伊八が怒ったように答える。「蝗の粉くらいはわしでも思いつくばってん、藁や松の皮は、よっぽどひもじか思いばした百姓じゃろ。土が食べられると言い出した阿呆な百姓よりは、数段、役に立っとる。元助は藁餅好いとるか」

「腹もちは良かです」

「牛と同じごつなるじゃろ」

伊八は口のへりで笑った。

藁粉を七分、麦粉を三分の割合で混ぜて蒸し、さらにそれを搗《つ》いて団子餅にするのだ。うまくはないが、二つも食べると石を食べたかのように腹が重くなった。

「普段の食い物があるうちに、こげなもんを作っておかんと。食い物がいよいよなくなって、腹の皮と背中の皮がくっつくようになっては、藁も切れんし、石臼も回せん」

伊八の言い草を元助はそのとおりだと思う。朝から何も食わないでいては、こんな重い石臼を回せるはずはなかった。

「郡役所《こおり》のお侍たちは、百姓の苦労ば知っとらん。百姓が田畑に出ているところしか見とらんので、いつも米ばかり食っとると思っとる。あれは十五年くらい前じゃったかの」

伊八が藁を切る手を休めて、入口の簾《すだれ》を開けに行く。月明かりで納屋の中がいくらか明るくなった。

「ひどか侍がおって、それは苦労した。戻り米たい」

「年貢米《ねんぐまい》を突き返されたとですか」

「このあたりの村こぞって、吉井の大庄屋の屋敷まで行った。そこに郡役所の若侍が来とって、一俵一俵調べて、受け取るか受け取らんかば決めよった」

「年貢米を受け取らんこつもあるとですか」

「あった」

伊八が藁切り包丁に力を入れる。「そんときは、米俵と縄が貧弱だと難癖ばつけた。お上に上納する米俵がこんなうす汚くては、米倉が汚れる、出直せというこつになった。そりゃ、他の村と比べると、このあたりの村の米俵も縄も粗末じゃったかもしれん。ばってん、そもそも稲の育ち具合が、下流の村とは違う。水がなかとこで、水を汲《く》み上げながら育てた稲じゃけ、丈も短かし、茎も細かし、腰もはいっとらん。縄も同じこつ貧弱な縄しかできん。泣く泣く荷車ばひいて持って帰って来て、その日のうちに俵と縄ば編み直した。夜なべ仕事で、旦那様も加勢さっしゃった。翌日、また持って行ったと」

伊八は藁切りの手を休め、肩をおとした。当時を思い起こすように溜息《ためいき》をついた。

「十松爺《じい》さんと一緒に荷車をひいて、押したが、ひと晩寝らんで俵を編んだ身体《からだ》は言うことをきかん。荷車ば死にもの狂いで押して、ようやく大庄屋の屋敷に着いた。そしたらまたあの侍がおった」

思わず、元助も石臼を回すのをやめて聞き入る。

「その若侍が俵と縄をねめまわして、新品かどうかを確かめ、難癖をつけるところがないと分かると、米俵の口ば開けた。そして手で掬《すく》い、臭《にお》いをかぎ、こげな屑米を上納するとは何事だと怒鳴った。それだけならこっちも我慢できたかもしれんが、三俵を選び出し、中の米を庭にぶちまけた」

「米ば、庭にですか」

元助は息をのむ。地面に米をばらまくなど、百姓なら天地がひっくり返ってもやらない。

「屑米じゃ、屑米じゃと叫んで、散らばった米の上を草履で歩いた。それば見て、わしは震えが止まらんかった。そうやって荷車で運んだ全部が、戻り米にされた。十松爺さんは文句ひとつ言わんで、地面に這《は》いつくばって、踏みつけられた米ば両手で掬って米俵に入れ始めた。わしもそれにならって米ば掬った。まだ身体が震えとった。ふと見ると、十松爺さんの手に、涙がぽとりと落ちた。下を向いて泣いとったとよ。

十松爺さんが泣いたとを見たとは、あれが最初で最後やった。そりゃそげんじゃろ。若いときから打桶ばして、田に水をやってきた身じゃろ。いっときでも手を抜かん人じゃった。それはわしがよう知っとる。米の出来不出来は、もう人の手を超えたところにある。屑米のように見えるかもしらんが、高田村としては、それがその年の精一杯の米じゃった。

また荷車を引いて戻りかけたとき、大庄屋殿がわざわざ出て来らっしゃった。先代の大庄屋で、もうそん頃は七十近かったろ。少し腰が曲がっとらっしゃった。十松爺さんの前で腰をかがめて、すまんこつした、ここは口惜しかろばってん、堪忍《かんにん》してくれんじゃろか、と言われた」

「偉かですね」

元助は感心する。大庄屋が庄屋の下男に謝るなど、考えられなかった。

「高田村が見せしめにされたとじゃ、と大庄屋殿は言われた。助左衛門どんにもその旨《むね》、わしが頭を下げとったと伝えてくれんか、と言われた。十松爺さんもわしも、かしこまるばかりじゃった。帰り道、十松爺さんはひと言もしゃべらんかった。いつもなら年貢を納めに行った帰りは、荷も軽かし、鼻唄《はなうた》も出るくらいじゃけど、そんときは違った。戻り米は、ほんなこつ重かよ。屋敷に戻ると、十松爺さんは事の次第ば旦那様に伝えて、すぐ米の選別が始まった」

「旦那様は怒らんかったとですか」

「大庄屋殿の言葉を聞いて、唇をかみなさった。泣いても口惜しがっても、らちはあかん。土の混じった米から良米だけを選り分け、残っていた籾《もみ》ばこして、屑米ば取り除くのに十日はかかったかのう。改めて持って行ったら、あの威張りくさった侍はおらんで、別の役人が来ていた。中味は調べんで、ご苦労じゃったと言うんで、拍子抜けがした」

「でも、よかったです」

「次の年は、屑米ばかり食べた。そんときも松皮粉や、藁粉があったんで、腹を一杯にすることはできた。百姓が一番苦しかとは盆前。貯《たくわ》えたものも底をつきかけるし、日照りが続いて菜も育たん。大根もなか。ほんに土でん食べとうなる」

伊八はまた藁を刻み始める。月が雲に閉ざされたのか、手元さえおぼろげにしか見えなくなっていた。しかし燭台《しょくだい》の火をつけるには油がもったいない。

「次の年も、その若侍がいたとですか」

「おらんかった。十松爺さんもわしも、胸を撫《な》でおろした。それから二、三年して旦那様から、あのけちをつけた侍が馬から落ちて死んだと聞かされた。何でも旦那様が大庄屋殿の屋敷に出向かっしゃったとき、大庄屋殿がこっそり言われたらしか。あんときのことを覚えとらっしゃったとやろ」

「よほど打ち所が悪かったとですね」

「天罰が下ったとよ。侍にもいろんなのがおる。威張りくさったのから、百姓の気持が分かっとる人まで」

言われて元助は、棒晒《ぼうさら》しを思い出す。竹筒の水を飲ませた元助の振る舞いを若侍は責めたて、お前も同罪で棒晒しにすると息巻いた。あの年寄りの侍がなだめなかったら、棒晒しとはいかなくても郡役所に連れて行かれ、牢《ろう》に入れられるか、科銀《とがぎん》を言い渡されていたに違いない。

「もうすぐ戌《いぬ》の刻じゃろ。寝るか」

伊八が切り藁を片付け始める。元助もそれにならった。

納屋の隅に行き、年貢駄《ねこだ》の上に仰向けになる。上に藁布団《わらぶとん》を掛けた。

「わしは、こげんやって眠るたびに思い出す。おふくろが、寝るより楽はなか、どこの馬鹿《ばか》が起きて働く、と隣で言っとった。子供心に何でそげなことば言わにゃならんとかなと、不思議やった。今はよう分かる。馬鹿というのは自分のことを言よったやろ。よう働いとった。そいで早死にしたとじゃろ」

「朝から晩まで働いて、目一杯夜なべもするから、寝られるとです。ずっと寝とるのは病人です。それよりかは、馬鹿んごつ働いて寝たがよかです」

「元助もたまにはよかこつば言うの」

　伊八はもごもごと答え、しばらくするともう寝息をたて始める。元助もその音を聞いているうちに寝入った。

　翌朝、まだ暗いうちに伊八に起こされた。元助が首をかしげるほど、伊八が目を覚ますのは、決まって日の出前だった。足元が暗い中を井戸端に行き、そっと顔を洗う。主屋《おもや》のほうも、長吉など他の荒使子《あらしこ》たちのいるいくつかの納屋もまだ寝静まっていた。納屋に戻り、脚絆《きやはん》を巻き、真新しい草鞋《わらじ》をはいた。

　背負子を担《かつ》ぐ。

「山札は持っとるか」

「持っとります」元助は答える。腰紐《こしひも》に結いつけていた。

「それがなかと、わしたちは猪《いのしし》や雉子《きじ》と同じで、山筒の者にずどんと撃たれても文句は言えん」

「そげな者がうろついとるとですか」

「耳納山の尾根の南側にはおるらしか」

音をたてないようにして納屋を出たはずだったが、いつの間にか足元に権が来ていた。

「ついて来ても、食い物がなかぞ」

「腹がへったら谷蟹《たにがに》くらい獲《と》って食うじゃろ」

伊八は、権を追い返そうとした元助をなだめた。

薄暗くても、耳納山の山際《やまぎわ》がどことなく見分けられる。晴れる印だった。

高田村を出た所で、伊八が今泉村の方を見やった。土手を下る人影があり、肩に天《てん》秤《びん》を担いでいる。

「こんな朝まだきから精出しよる百姓がおる」

筑後川の水を汲んで土手を上がり、そして下り、畑まで運んで作物に水をかけるのだ。畑全体にかけ終えるまで、何百回か行き来しなければならない。日が照ってくると、その辛《つら》さは倍になる。

「あんな天秤棒に比べると、わしたちの打桶《うちおけ》のほうがよほど恵まれとる」伊八が呟《つぶや》く。

元助も同感だった。打桶をしている間、遠くで水を運んでいる百姓を眼にして、何度そう思ったかしれない。今泉村一帯の土手は、筑後川の普段の流れが岸から離れているため、打桶をしようにもやりようがないのだ。

道の両側の田は、もう稲が穂をつけ始めていた。しかし茎は細く、立ち枯れして白穂になっている稲も目立つ。

「このあたり、どの田も四分の一は白旗を上げとる。高田村とどっこいどっこいじゃろ」

伊八が言った。なるほど、合戦で白旗が上がれば降参だ。田も同じだった。日照りと水不足に攻め続けられ、稲が音を上げたのだ。負けた稲は、茎も使いものにならない。莚《むしろ》を編んでも腰がなく、すぐに穴があいた。

今泉村の手前で道を南に折れた。上古賀村を過ぎる頃、東の空が明るみ出す。菅村の藁屋根や草葺《くさぶ》き屋根にも光が当たり始める。

「菅村の庄屋殿が棒晒しにされとったのは、あのあたりか」

伊八が道の先の辻《つじ》を指さす。

「そげんです」

「あんときは丸一日の棒晒しですんだばってん、二度目は、そうはいかん。打首じゃろ。旦那《だんな》様が言っとらっしゃった」

「打首されるとですか」元助は驚いて伊八の横顔を見る。

「見せしめのためには、それが一番効く。打首にして屋敷も田畑も取り上げ、庄屋の役職も召し上げる――」

伊八は声を低めた。「そげんすれば、もうどげな不平も出らんようになるじゃろうが」

伊八は気の毒げに言い、周囲の田を見渡した。稲がまばらに育ってはいたが、穂の出はよくない。いつもの年の三、四分止まりの出来に違いなかった。借りた種籾を返し、年貢を納めれば、もう村人の食い扶持《ぶち》はない。麦の出来がよければひと息つけるものの、そうでなければ稗か粟、大根で一年を過ごさなければならない。

「ここの庄屋様が郡役所に願い出られた書状には、立派なこつ書かれとりました」

「お前、どうして知っとる」伊八が驚く。

「旦那様が読んで聞かせてくれなさったとです。難しかけ、全部は分かりまっせんが、真心がこもっとりました」

〈百姓は天下の宝〉というようなことも書いてあったと、元助は言おうとしてやめた。

「旦那様は読みながら涙ば流されとりました」

元助は自分が泣いたのは口にしなかった。

「そげなことがあったとか」

「あげな庄屋を持っとる村ん者は幸せじゃと思いました」

「どっちの庄屋か」

「どっちもです」

菅村の庄屋のつもりで言ったのだが、元助は思い直して答える。あの書き付けに涙を流した自分たちの村の庄屋も、同じように立派なはずだった。

伊八は向こうから来た村人に声をかける。伊八と同年輩の百姓は、天秤に担いでいた肥桶を置いて、腰を伸ばした。

「山に行きなさるか」

「行きよります」伊八が山札を見せる。

「よっぽど上まで行かんと、もう採る物はなかでっしょ」男は気の毒げに言い、天秤棒を担ぎ直す。男が歩き出したあとに、下肥の臭いが残った。

「あちこちの村から来とろうし、山札がない者もはいっとるじゃろけな」

仕方がないというように伊八は首を振った。

村の端の方に小さな茅葺《かやぶ》き小屋が立っていた。中から赤ん坊の泣き声がする。巨瀬川の土手を上がって来た男は革袋を背負っていた。小屋の傍に置いてある大がめに、革袋の中の水を入れた。どうやらそれを井戸水代わりにしているようだった。

大水で家が流されたとき、井戸も潰《つぶ》れてしまったのだろう。新たに井戸を掘るにもおいそれとはできない。当座は川の水でしのいでいるのに違いなかった。

小屋を行き過ぎても、まだ赤ん坊の泣き声は耳に届いた。

「ひもじかとじゃろね」伊八が急ぎながら呟く。「乳が欲しかとやろ。母親は乳が出らんので、あやすしかなか。米粥なら赤ん坊も食べるかもしれんが、稗粥は大人でも口に入れるのに苦労する」

稗粥にしても粟粥にしても、米が一分でも二分でもはいっていればいい。赤ん坊だって同じだろう。

巨瀬川の上流は土手が切れたままになっていた。わずかに一間ばかりの高さに土のうが積んであるが、土手の高さまではあと二間の差があった。もう二度目の大水はなかろうが、万が一、再び水かさが増えれば、土のうなどひとたまりもない。

「橋も流されとる」

伊八が川下を眺めやった。確かに粗末ながらも木橋がかかっていたのを元助は思い出す。

土手を下り、浅い流れを渡った。流れの前で迷っていた権を元助はかかえ上げる。普段はこんな細い流れが、大水のときは土手の高さまで水位が上がったのだから、鉄砲川とはよく名付けたものだった。

「これから先、近くの村のもんは庸《よう》に駆り出されて、土手を元通りにせにゃならん。空《す》き腹かかえて土のうを運ぶのは辛かろう」

「高田村からも出さんといかんでしょうか」

「さあ、高田村は巨瀬川から一番遠かけね。ばってん、よその村のもんが汗かいているのに黙って見ているわけにはいかんじゃろ。旦那様がどげなふうにさっしゃるか」

土手から山道にはいる。踏みつけ道が雑木の間をぬって、上の方に延びていた。山の中が珍しいのか、今度は権が先になって歩く。

山の斜面のあちこちが掘り返されているのは、葛《くず》の根を採ったあとだろう。あるいは蕨《わらび》の根かもしれない。

所々に松の木が曲がりくねった枝を伸ばしていた。やはり太った幹が抉《えぐ》り取られている。幹全体の皮をむいていないのは、枯らしてはいけないことを心得ているからだ。

「このあたり、どこもかしこも手がつけられとる」

伊八が仕方ないという顔をする。「山札が出されるのも、稲の出来が悪か村が先じゃけな。少しばかり出来のよか村の者は、それだけ恵まれとるので、上の方に登れということじゃろ」

葛やいどろ、蕨はまだ採り残されたところがあったが、伊八は立ち止まらず、次第に細くなる道を登っていく。あたりに楠《くすのき》が多くなっていた。二人がかりでないと幹を抱きかかえられないほどの大木もある。

「楠の実が食べられるなら、神社の境内にもあるけ苦労はせんが」

歩みを止めた伊八が腰を伸ばして梢《こずえ》の方を見上げる。ひんやりとして、元助はどこか神々《こうごう》しい匂《にお》いを感じる。小さい頃、社の境内の楠によく登ったからだろう。通りがかった大人たちから、大きな枝でも折れやすいから危ないとよく注意された。枝には小さな実がびっしりついていたが、全く食えない代物《しろもの》だった。そこへいくと、銀杏《いちょう》の木は、登りにくい代わりに、大風のとき黄金色の実を落としてくれる。元助たちは大風のあと決まって社まで走り、競い合って実を集める。採って来た実は袋に入れ、足で踏みしごいて皮をはいだ。独特の臭いがいつまでも手と足にしみついた。

子供の間で一番の人気は椎《しい》と椋《むく》の木だった。椎の木も楠なみに大木だった。枝は楠よりは強く、少々先の方まで行っても大丈夫だ。枝先には、実が鈴なりになっている。外の殻が少しはじけて、中の実が黒光りしているのがいい枝で、それを片手でへし折って下に落とす。あとで皆で山分けした。

椋は椎よりもさらに折れにくかったが、実は先の方にしかついていない。手で採るよりも、枝を揺すって実を下に落としたほうが早い。赤紫の色に熟した実は、口に甘く、何個でも食べられた。まだ熟さず青いままの実も、持ち帰って糠《ぬか》の中に入れておくと、十日ほどで赤黒くなる。ひと粒ひと粒が口の中で甘くとろけ、呑《の》み込むとき幸せな気分になった。

元助は木登りが苦にならなかった。木に登ってしまうと、短い右足を気にしなくていい。両腕と左足だけで、他の子供と同じように木の枝をつたい、横の木にも飛び移れた。地面の上では元助の歩きを笑った者も、椎の実採りでは、下の方から声をかけて実をねだるしかなかったのだ。

権が何かを見つけて草むらの中に鼻を突っ込む。どうやら谷蟹を見つけたらしかった。谷蟹の塩漬けは、時々夕飯にもついていた。汁と粟粥《あわがゆ》と蟹漬けだけだが、塩気と蟹の風味で満足できた。

その蟹漬けも、作るには谷蟹を百匹か二百匹獲らないと話にならない。このところの日照り続きで、蟹は草むらにもぐり込んでいる。百匹も獲るのは無理だ。

「元助、お前木登りが上手だったな。あの木に登れるか」

伊八が奥の方を指さす。樫《かし》の木が二本、競い合うように枝を伸ばしている。よく見ると、まだ充分熟してはいないが、団栗《どんぐり》が鈴なりになっていた。

「あれなら、揺すると実が落ちてくるじゃろ」

「登ります」

木登りなど、ほとんど十年ぶりだ。主屋の庭にある柿《かき》の木に登り、梢に残る渋柿を竹竿《たけざお》でもぎり採ったとき以来だった。

「気ばつけてな」

伊八の注意を耳にして、下の方の枝に手をかけ、よじ登る。

「ちょっと待て」

三段目の枝の上に立ったとき、伊八が声をかけ、腰にさした鉈《なた》を手にした。雑木を切り、枝を落として七、八尺の棒をこさえ、元助に手渡す。棒が落ちないように樫の枝の上に置き、四間程の高さまで登った。

枝を左手で摑《つか》み、右手で団栗がなっている枝の先を叩《たた》くと、実は面白いように下に落ちた。権も落ちた団栗を拾おうとする。

「そん調子じゃ。気いつけてな」伊八が心配そうな顔で見上げる。「枝の先の方は無理して叩かんでよか」

枝を一段ずつ下りながら、棒の届く範囲にある団栗を大方叩き落とし、地面に降り立つ。

まだ青いままの団栗も構わず背負子《しょいこ》に入れた。

団栗は採るのは容易でも、あく抜きに椎の実の何倍もの手間がかかった。中の実だけを取り出して荒挽《あらび》きしたあと、団子状にして何度も水を替えては浸し続ける。最後は粟糠に混ぜ込んで日に干した。乾くにつれてあくはとれ、最後にまた石臼で挽いて粉にすれば出来上がりだ。麦粉や米粉、そば粉とも違う濃い風味があった。

「とんだ拾い物をした。飯炊《めした》きの女たちが喜ぶぞ」伊八が小躍りした。

全部で一斗くらいはあるだろうか。元助の背負子が少しばかり重くなった。

六合目付近まで登りつめると、斜面を掘り返した跡がほとんどなくなる。蕨も群落があり、葛も手つかずのままに生い茂っていた。

「元助は葛ば掘れ。わしは蕨の根ば採るけ」

伊八が、蕨の群がって生える地面に鍬《くわ》を入れ、一気に掘り起こす。

元助は雑木に巻きついた葛の根を辿《たど》り、根元を見定める。そこに鍬を打ち込んで根を掘り上げる。どの根も小指ほどの太さで、地中深く張っていた。途中で断ち切らないように注意深く地面を取り崩していくと、次々と細い根が現れた。

ひと所を採り終え、次の場所に移動して、同じ作業を繰り返す。

伊八のほうも山の斜面に鍬を入れ、しゃがみ込んでは蕨の根を掘り返していた。小いっときも過ぎた頃だった。権が吠《ほ》え、しばらくして伊八が元助を呼んだ。

「ちょいとこっちに来てみろ」

立ち上がった伊八が険しい顔を向ける。足元に権がいた。元助は鉈を手にしたまま歩み寄った。

「権が見つけた」

伊八が目配せする方向に、人の死骸《しがい》があった。まだ白骨にはなっておらず、頭には髪の毛が残り、目の凹《くぼ》みにも頬にも、手足にも干《ひ》からびた皮がついている。胴体はつぎの当たった着物を着たままであり、胸元からあばら骨が見えていた。異臭に元助は思わず吐き気を覚えた。

「赤ん坊を抱いとる」

伊八から言われて腹のあたりに眼をやる。何か荷物をかかえていると思っていたのは、菰《こも》包みになった赤子だった。こぶし大の頭は骨になっている。

「親子でっしょか」元助は口に手を当てて呻《うめ》いた。

「赤子と祖母じゃろ。嫁に赤ん坊が生まれて口べらしが必要になったんで、自分も口べらしと思うて、ここまで登って来たんじゃろ」

「孫ば抱いてですか」

「息子が付き添って来たかもしれん」

伊八が手を合わせたので、元助もならう。

「術無《すべな》かのう」

伊八が目をしばたき、山麓《さんろく》の方を見やった。「ここから見えるどこかの村の住人と思ってよか。自分が生まれ育った村ば見ながら、ここに腰ばおろしとったとやろ。赤ん坊がひもじさに泣く声が聞こゆるごたるね」

山裾《やますそ》に流れる巨瀬川のずっと向こうに、日田街道が見え、さらにその奥に筑後川が東から西にうねりながら横たわっていた。

その二つの川の間に挟まれた細長い江南原こそが、元助が生まれ育ち、これからも生き続けなければならない土地だった。東は原口《はりぐち》村から西は山本郡まで、雑木林や竹《たけ》藪《やぶ》の間に、粗末な藁《わら》屋根や茅葺き屋根をもつ家が所々に寄り添い、細い道がそれらを結びつけている。瓦《かわら》屋根を持つ家の集まりは、街道筋に位置する吉井とその西の田主《たぬし》丸《まる》にわずかに見えるくらいだった。

田畑の勢いはここから眺めても一目瞭然《りょうぜん》だった。緑で覆《おお》われている土地は少なく、黄色味を帯びたり、赤茶けている所が大部分だった。

「もう仏さんも、充分わが村ば見らっしゃっとろう」

そう言って、伊八が遺骸の脇に穴を掘り始めていた。元助も加わる。

「もうよかろう」

四尺ばかり掘り下げたところで、伊八が制した。「この赤ん坊をちょっと抱いとってくれ」

伊八は菰包みを抱え上げ、ひょいと元助に手渡す。ぽとりと小さなしゃれこうべが菰の中に落ち込んだ。

伊八は半ば朽ちかけた老婆《ろうば》の遺骸を後ろから抱き、そのまま穴の中に納める。異臭など気にならない様子だ。

「赤ん坊はもとのように抱かせとこ」

菰包みを受け取った伊八は、老婆の膝《ひざ》の上にそっと置く。

「どうか成仏《じょうぶつ》して下され」

伊八は手を合わせ経を上げたあと、鍬で土をかけ始める。元助もしゃがみ、両手で土を掬《すく》う。かけながら、涙がにじんでくるのを抑えきれなかった。生まれてすぐ、まだ村の中を歩きもしないうちに、こんな山奥で一生を終えなければならなかった赤子が不憫《ふびん》でならない。

「赤ん坊も、苦労せんうちに死んで、よかったかもしれん」

伊八がぽつりと言った。

「そげなこつはなかです」

そう言い返そうと思ったが、元助は首を振っただけだった。生きておれば、何とかなる。土は食えないかもしれないが、草や木の根は食べられる。日照りのあとには必ず雨が降る。大水が十日もひかぬことはない。

いくら貧しい江南原とはいえ、ずっと辛《つら》いことばかりではない。その証拠に自分も、子供時代の楽しい思い出がある。大人になってからは辛いことのほうが多くなったが。

「元助、もう少し上の方に行ってみるか」

黙り込んだまま土をかけ終わった元助に、伊八が験直《げんなお》しのように明るく言った。

四　初鉄漿《はつがね》

朝の打桶《うちおけ》から帰って来ると、いとが納屋《なや》の前で待っていた。奥様がお呼びだと言うので、元助は首をかしげる。

「ともかくお前じゃないといかんと言われとる」

いとに急《せ》かされ、主屋《おもや》の中にはいった。昼だというのに、土間の奥にあるかまどに火が入れられていた。

臼《うす》でそばを挽《ひ》いたり、厨房《ちゅうぼう》で菜をそろえていた女たちが、元助を見上げてくすっと笑った。元助は自分の顔に炭でもついているのかと思い、顔をこすった。

「元助、来たかい」

居間の板襖《いたぶすま》が開いて、奥方のちよが姿を見せる。助左衛門よりは十五歳くらい年下で、今でもまだ若々しさが残り、髪形が乱れているのを元助は見たことがなかった。

「何でございまっしょか」元助は身をかがめた。

「今日は折入ってお前に頼まなきゃならん。そこに鉄漿《かね》壺《つぼ》があるじゃろ。鉄漿ば作ったばかりじゃけな」

なるほど、かまどの横に小さな鉄の器が置かれているが、鉄漿を温めているのだろう。

その鉄漿が自分に何のつながりがあるのか皆目分からず、元助は目を白黒させた。

「お前、股引《ももひき》の下に下帯はしとるか」奥方が訊いた。

「しとります」いくらか顔を赤くして元助は答える。

神「そりゃそうです。下帯くらいはしとかにゃ、若いもんは勢いがよかけ、飛び出します」

いとの脇《わき》にいた年増《としま》の下女が言ったので、他の女たちが一斉に笑う。いとだけが困惑した顔になった。

「その下帯を脱いでくれんかの。もちろん股引もとってもらわにゃ」

奥方から言われ、元助は思わず後ずさりする。

水「そればっかりは」

「心配することはなか」

奥方は居間の隅に衝立《ついたて》を立て、鉄漿壺を持って来させた。衝立の後ろにその器を置く。

「下帯ば解いた若い男に鉄漿壺を跨《また》いでもらうと、鉄漿のつきがよくなるち言われとる。あたしも試してみようと思うた」

そんな迷惑千万な言い伝えなど、元助は初耳だった。とはいえ、これまでも、奥方の言いつけで五倍子《ふし》を取りに鎮守の森に行ったことは何度かある。ぬるでの木は三本しかなく、その葉にときどき虫瘤《むしこぶ》ができる。それを採るのだが、低い所の葉につく虫瘤はたいてい取り尽くされているので、用心して登り、瘤のある葉を探さねばならない。半日で十も採れればいいほうだった。

それでも奥方は喜び、駄賃に手拭《てぬぐ》いを一枚くれたりした。虫瘤は日に干して乾かし、粉にして五倍子をつくる。鉄漿の前に、五倍子を歯に塗るとお歯黒の出来がよくなるらしかった。

「五倍子ではいかんとでしょうか」

「あれはあれで、これも試してみたか。ほれ、この衝立の向こうで、鉄漿壺ば跨いでおくれ。ちゃんと下帯ば取らんとご利益《りやく》がなかけんね」

奥方から背中を押されて、元助は衝立の向こうにはいった。

「元助しゃんの一物は見えんけんで、心配なか」また女たちのひとりが冷やかす。

元助は肚《はら》を決め、股引を脱ぎ、下帯も解いた。一物を両手でおおいながら、恐る恐る鉄漿壺の上を跨ぐ。頭と胸は衝立の上から見え、元助の恰好《かっこう》が面白かったのか、女たちがまた笑った。

「ちゃんと跨いだね」

「跨ぎました」

両手で前を隠しながら、奥方の顔は見ずに返事をする。顔から火が出るような気がした。

「そんなら、もう下帯ばつけてよか」

奥方から言われるまでもなく、元助はそそくさと下帯をつけ、股引をはき直す。

「はい、ありがとさん」

股引をはき終わるか終わらぬかのうちに奥方が衝立を片付けたので、女たちの笑い声が一段と高くなった。

奥方は鉄漿壺を両手で捧《ささ》げ持ち、元助に向かってお辞儀をする。恐縮した元助は上体を曲げ、板敷から降り、ちびた草鞋《わらじ》をはく。火のように熱くなったのは顔だけではなかった。首筋どころか、手の先、足の先まで真赤になった気がした。

「えらい賑《にぎ》わいじゃが、どげんした」

板戸を半分開いて顔を出したのは助左衛門だった。元助は腰をかがめてかしこまり、女たちは笑いをかみしめた。

「元助に鉄漿壺を跨いでもらいました」奥方の返事は正直だった。

「ほう、ふりちんでか」今度は助左衛門が笑う。「元助、そりゃ運が良か。跨いだ男は出世するち言われとる」

本当とも冗談ともとれる口振りに、元助は返事もできない。

「元助、そりゃともかく、縁側の方にちょっと来てくれんか」

「へっ」

これでやっと放免されたと思い、元助は土間の降りがけにいとを一瞥《いちべつ》する。いとの満足気な顔を確かめて、恥ずかしさが半分に減った気がした。

土間の奥から縁側に回りながら、この場は何とかやりおおせたものの、難儀なのはこれからだと元助は思う。奥方のお歯黒を眼にするたび、このふりちんでの跨越しを思い出さなければならない。しかも、もし言い伝えどおり鉄漿のつきがよかったらまた呼ばれる。助左衛門は運が向いてくると言ったが、この恥ずかしさを味わうくらいなら、運など御免蒙《こうむ》りたい。

縁側には、先刻と違って真剣な顔をした助左衛門が待っていた。

「これば、清宗村の庄屋殿に届けてくれんか。平右衛門殿は、お前が小さかとき世話になった方じゃけ、命の恩人のようなもの。むこうもお前の顔ば見ると喜ばれる」

助左衛門は書状を油紙に包み込む。「それからこっちは平右衛門殿から借りとった書物。これも返してくれ。えらいためになった。そげん伝えてくれるとよか」

油紙と書物を風呂敷《ふろしき》に包んで、元助に渡す。「庄屋殿は、その場で返事ば書いて下さるかもしれん。いずれにしても、どげんじゃったか教えてくれ。急いで帰ってくれば、昼からの打桶には間に合うじゃろ」

「すぐ行って参ります」

元助は風呂敷包みを抱えて納屋に戻り、伊八にその旨《むね》を伝えた。

「なるべく早く帰って来ますけん」

「大事な使いじゃけ、慌《あわ》てて帰らんでよか」伊八は真顔になる。「お前を使いにやらっしゃるのも、余り目立つといけんからじゃろ。奥方や若旦那《わかだんな》さんだと人目につく。何事かと噂《うわさ》もたつ。いよいよ、あんこつば決心されたと思ってよか」

「あんこつとは何ですか」

元助が問うと、伊八が納屋の中に引き入れた。

「川を堰止《せきと》める話じゃ」

「大川ばですか」元助は心底驚く。あの流れを堰止められるはずがない。「そりゃ無理な話です」

「わしも旦那様から初めて聞いたとき、できん話と思うた。もう三年くらい前じゃった。誰にも言うちゃいかんと念をおされたのでお前にも話さなかった。わしも、こりゃ夢物語じゃと思って、忘れとった。ところが、四、五日前じゃった。旦那様に呼ばれて絵図面ば見せられた」

伊八が声を潜め土間にしゃがむ。元助も腰をおろした。

「たまげたぞ」伊八が目を見開く。

「どげな絵図面ですか」

「大川を石で堰止めてあった」

「岸から岸までですか」

元助はまだ信じられない。三、四間幅の川ならともかく、筑後川は少なくとも七十間の川幅をもっている。

「そりゃそう。そげんせんと川は堰止められん。間に船が上り下りする通り道も二本あった」

「そしてどげんなるとですか」

堰は造っても、その使い道がどうなるのか、元助は思いもつかない。

「堰の上の方は水かさが高くなるじゃろ。そこに貯《た》まった水ば、土手の外に出して、この辺の村ばぐるっと巡らせる」

「そげなこつ、できるとですか」

「旦那様の話だと、できるということじゃった。溝ば掘れば、水は高い所から低い所に流れるけ、理屈は通る」

伊八はそれでも自信なげだった。元助も首を捻《ひね》るばかりだ。

「ともかく、そげんなると打桶はせんでよかごつなる。旦那様がはっきり言いなさった」

伊八は頷《うなず》き、早く行けと言わんばかりに顎《あご》を突き上げた。

打桶がなくなれば、自分の仕事はどうなるか。歩きながら元助は考えた。これまで五年というもの、雨の日以外は、一日二回、土手に立って打桶をした。これから先、足腰が弱るまで、十松爺《じい》さんや伊八と同じように、三十年か四十年は続けるつもりだったのだ。

打桶がなくなると、他の百姓なみの仕事につくことができるのは確かだ。牛の世話、根株の掘り起こし、牛を使っての犂起《すきお》こしに、鍬《くわ》での土砕き、刈った草を田に入れる刈敷、下肥や油粕《あぶらかす》の施肥など、百姓の仕事は何でもあった。元助は眼で見て知ってはいるが、実際にやってみたのはその一部でしかない。

苗代《なわしろ》の用意をする一方で、種籾《たねもみ》を川に浸しておく。苗代には薄い下肥を入れ、発芽前の籾を蒔《ま》くが、これを狙《ねら》う雀《すずめ》を朝から晩まで追い払わなくてはならない。ようやく苗の形になったところで、また下肥をぶちまける。

下肥の貯め場は村のあちこちにあって、日頃から村々の家から出た糞尿《ふんにょう》が貯められていた。小さな頃、稲を刈ったあとの田で遊んでいて、そこに落ちたのを思い出す。藁《わら》で簡単な覆《おお》いをしてあるだけなので、踏みつけたとき、そのままはまってしまった。底は背丈が届かないほど深かったが、さし渡してあった竹棹《たけざお》にしがみつき、やっと自分の力で這《は》い上がった。上から下まで糞尿だらけになり、泣いて主屋まで走った。一緒に遊んでいた子供たちは、決して近寄らず離れたところからはやしたてた。誰かがいとに知らせてくれたらしく、いとは手を引いて屋敷の外にある井戸の近くまで連れて行ってくれた。畑の中に立たされ、集まった女たちから次々に水をかけられた。最後には着ていた物も脱がされて、裸の身体《からだ》に水を浴びせられた。

「よかよか。肥やしをかけられたけんで、大きくなるばい」

泣きじゃくる元助を、いとは笑いながら慰めた。そのとき脱ぎ捨てた単衣《ひとえ》は、二度と着ることがなかった。いとに訊くと、細かく裂いて、落ちた肥溜《こえだ》めの中に入れたという返事だった。そうやると、下肥の効き目が増すと言う。

「下肥様がお前ば欲しがっとらっしゃった。その身代わりたい」

いとが下肥に様をつけたので元助は驚いたが、下肥のありがたさは、大きくなるにつれて分かった。

久留米の城下にある侍屋敷や町人屋敷から出る下肥は、近在の村が縄張りを決めて汲《く》み取るらしかった。吉井町や田主丸町でも、事情は似たり寄ったりだ。糞尿の恵みにあずかった村の肥溜めが空になることはなく、余った下肥を屑米と交換で売る村もあると聞いている。

田植えの時期になると、伊八と元助は専《もつぱ》ら打桶が主になり、その行き帰りに、村人たちの農作業をつぶさに見た。打桶は水を汲むだけだが、農作業は次から次へと働きどころが変わった。

田に水を引き入れたら、畦《あぜ》の側面を泥で塗り固めなければならない。そのあと、湿った田の土に鍬を入れ柔らかくしておいて、中でまんべんなくすく。終われば鋤《すき》ででこぼこをなくし、鏡の面のように平らにしておく。

そこでいよいよ植えつけが始まる。苗代で一尺弱に育った苗を抜き、田まで運び、四、五人が横一列に並んで後ずさりしながら植えていく。田植歌を歌いながらの村中総出の仕事だ。元助と伊八も一日中打桶にかかりっきりになり、夜中にはかがり火を焚《た》き、夜を徹して水を揚げた。飯はいとたちが運んで来てくれた。

田植えから十日もたつと、苗に根がつく。株の間を鍬で打ち越すのは、雑草が生えるのを防ぎ、苗の根の張りを強くするためだ。この間も、伊八と元助は田に水を入れ続ける。田が干上《ひあ》がると、苗が枯れるのに五日とかからなかった。

水を張った株間に、村人たちは薄めた下肥を柄ひしゃくでまいた。株間には草も生えるので、かんかん照りの下で田の草取りをする。そのとき田に張った水は湯のように熱くなっていて、手甲や脚絆《きやはん》の覆っていない手足に蛭《ひる》が食らいつく。田の草取りは二度、三度と繰り返され、やがて苗が一人前に育ってくる。

穂が膨らみはじめて、ようやく田に水を張る必要がなくなる。打桶の水は畑の方に流れるように、溝板が調節された。

穂が出る前に虫害が起こりやすく、打桶を終えた元助は虫追いにも時折駆り出された。大人も子供も、布切れをつけた竹竿《たけざお》で虫を追い払う。虫追い祭には、実盛《さねもり》人形と光盛人形を戦わせもした。

いよいよ穂が膨らむと、今度は雀が群れをなしてやって来る。見張り役にもされたことがある。鳴子で追い払っても、雀は他の稲田に移るだけだった。

そうやってついに稲刈りを迎える。打桶は早めに切り上げて二人とも稲田に呼ばれた。刈り取った稲は束にして、稲架《はざ》にかけ、日干しにする。稲の束を肩にして運ぶとき、野良着《のらぎ》の中に籾の毛がはいり、皮膚を刺した。

干し上がった穂から籾をしごき落とすのは、幸い女たちの仕事だった。竹の箸《はし》で挟み込んで、籾を落とすのは、いかにも根気がいるようで、見ているだけでもくたびれる。籾は日照りの日、固莚《かたむしろ》の上に広げて天干《てんぼ》しをする。これも女たちの仕事で、朝干して、夕刻に再びしまい込み、雨が来ると見込めば、すぐさま籾を片づける。それを四日あまり繰り返して籾がようやく乾き、それからは男たちも加わった。

籾殻を取り除く木臼《きうす》は三尺の高さがあり、真中に心棒が通され、両側に綱がついている。伊八と元助が臼を間にして向かい合い、綱を交互に引き合うと、上から入れた籾が挽《ひ》かれ、玄米と籾殻が少しずつ出てきた。

風のある日、それを集めて箕《み》に入れ、莚の上で風に吹かせる作業も時々やらされた。籾殻だけが遠くに飛び、玄米だけは足元に落ちる。風がない日は、伊八が箕を持ち、元助は莚一枚を抱えて近くに立ち、風を起こした。箕をかざすほうも骨が折れるが、風起こしもすぐに息が上がった。

その頃、田畑では麦や野菜の種播《たねま》きで大忙しだ。麦畑を牛の引く犂で掘り起こして、平べったい畦《うね》をつくり、麦播きをする。芽が出て、霜が降りる頃、麦踏みがあちこちで始まる。元助も何度か駆り出されたが、寒風の吹きすさぶなかで、少しずつ麦を踏みつけていると身体は冷え切ってしまう。これなら打桶のほうがましだと思った。ようやく寒がゆるむ頃、水で薄めた下肥を苗の間にかけてまわる。そのあと麦はひとりでに成長し、稲よりは手を取らなかった。

主屋《おもや》で飼っている蚕の世話は下女たちの受け持ちだったが、桑畑の手入れと葉取りは、元助たち下男の仕事だった。摘んだ葉は女たちが竹籠《たけかご》に入れて主屋の土間に運び入れた。

そこで桑の葉を小さく刻み、箕でふるって、茎を取り除く。葉の大きさ加減は、蚕が大きくなるにつれて変えていく。蚕棚は主屋の二階に置かれ、女たちは桑の葉やりに一日何度も土間にある急階段を登った。あるとき、元助は呼ばれて土間にはいった際、階段を登る下女の足をつい見上げてしまい、冷やかされたことがあった。

桑の木は水を好むので溝沿いに植えられていた。日照りが続くと井戸から水を汲み上げ、水桶を天秤《てんびん》にして桑畑まで運ばされた。何のことはない、日の出から昼前まで打桶、日が頭の上にある間は桑の水やり、そのあと再び土手に戻り日暮れまで打桶をしなければならず、一日が水汲みで終わった。

それでも水が足らずに桑の木が枯れることがあった。蚕は一日でも桑の葉がないと生きられない。桑泥棒がはいるのはそんなときだ。夜中によその村に入り込み、手当たり次第に葉を採り、夜闇に紛れて逃げ帰る。元助も十四、五歳の頃、桑畑で寝ずの番をさせられた。眠い目をこすって、小屋の中から外を眺めていると、二人の人影が薄闇の奥で動いていた。そのうちひとりが桑の木に登り出したので、傍で寝ていた伊八を揺り起こした。

起きた伊八は棒を手にするや、割れ鐘のような声で「桑盗《ぬす》っ人《と》」と叫んだ。棒を振り上げた伊八に続いて、元助も「盗っ人だ」と声を張り上げた。男二人は木から飛び降りると竹籠を放り出したまま、暗闇の奥に逃げ去った。あれはどこの村の百姓だったろうか。蚕は全部死んでしまったのか、元助は今になって桑盗っ人の追いつめられた気持が分かる。

幸い今年の桑は、五月の大水のときに水をたっぷり吸ったせいか、日照り続きでも勢いは大して衰えていない。緑色の葉をつけ、採られたあとにも、また新たに葉を出し始めている。

夏梅村を過ぎ、清宗村の近くまで来ると、桑畑の葉の数が眼に見えて少なくなり、田の稲もつんと頭を立てはじめた。稲穂が頭《こうべ》を垂れていないのは、実入りが良くないからだ。

元助は照りつく空を眺め上げ、額の汗を手でぬぐう。西の空に白い雲がひと筋浮かんでいるだけで、それが黒雲になって広がりそうな気配は全くない。

元助は伊八の言葉を思い出す。堰ができると打桶もいらなくなると聞いたが、本当にそんな日が来るのだろうか。

打桶がもしなくなったら、自分は本物の百姓になるのだと元助は思った。これまでは、打桶の合い間に駆り出された助っ人百姓だった。人手がいるときだけ、つまみ食いのように田畑に出る半人前の百姓だった。

元助は一人前の百姓になりたかった。打桶をし、井戸から水桶を運んだり、下肥を薄めて畑にかけるだけの百姓では、やはり物足りない。日が暮れて納屋《なや》で莚や米俵を編むのも嫌ではないが、たまには、日の出から日の入りまで田畑に出ていたい。それでこそ、夜なべにも熱がはいろうというものだ。

わしたちは田畑に水を送る百姓の中の百姓だと、伊八が胸を張って言ったことがあった。しかし水汲み百姓は、やはり本物の百姓ではない。いとにしても、ひとり息子に水汲み百姓で終わって欲しいとは思っていないはずだ。死んだ父親のように本百姓になってこそ、いとも心底から喜んでくれるのではないか。

十日ばかり前、伊八と登った耳納山が目の前に迫っていた。

山中で見つけた老婆《ろうば》と赤子の遺骸《いがい》については、助左衛門に伝えていた。

「そうか、よか弔いをしたな」と助左衛門は元助たちをじっと見つめた。「ばってん郡《こおり》役所には届けんごとしとこ。どこの村の婆さんと赤子か、取り調べが始まると切なか。わが母と赤子を捨てるのを、咎《とが》めだてするには、どげな理由でもつく。稀代《きだい》の親不孝者と言われて、釘打《くぎうち》の刑にされるとが関の山じゃけん」

主屋からの戻りがけに、釘打の刑がどんなものか伊八に訊《き》いた。家の出入口の戸をすべて外から釘で打ちつけてしまうもので、伊八は溝口村にその罪人が出たのを見に行ったことがあるらしかった。釘打は十日か二十日、あるいはひと月は続くらしい。溝口村の罪は二十日で、刑が解かれたとき、爺さんと下の子供が死んでいたという。何か食べようにも、外の畑に出ていけないので、家の中にあるものを食い尽くせば、飢え死にするしかないのだ。

元助は、小脇《こわき》にかかえた油紙の包みが、汗に汚れていないか確かめる。旦那様が平右衛門様から借りた書物だから、汗臭くしては無礼極まりない。

主屋の縁側で助左衛門が書見台に書物を置き、読んでいる姿を眼にするのが、元助は好きだった。元助は字のひとつも読めず、書けもしない。にもかかわらず、主人が背筋を伸ばして書物に向かって声を出しているのを見聞きすると、自分までも分かった気になり、うっとりとするのだ。

　ある昼下がり、助左衛門に呼ばれて、用事を言いつけられた際、書見台に読みかけの書物があったので、どういうことが書いてありますかと、思い切って尋ねた。

「これか。実に面白か。天竺《てんじく》まで行った旅のこつば書いてある。食い物も着る物も住む家も、話す言葉も違っとる。顔形も違うげな」

　天竺が、どこか海を渡った西の方だとは元助も知っていた。食い物や着る物が違うことは分かるような気がしたが、顔が違うとはどういうことなのか、首をかしげながら元助は縁側を離れた。

「天狗《てんぐ》の面と思っとけばよか」

　伊八に訊き直すと、いとも簡単な答えが返ってきたが、実際にそんな化物のような人間がいるとは信じられなかった。

　元助が十五、六の頃、助左衛門は縁側で自分の子供に読み書きを教えていた。跡取り息子の幸之助は元助より五つ六つ年下だが、父親の前に坐《すわ》らされ、書物を大きな声で読まされていた。去年元服したばかりの次男坊の弥助《やすけ》も同様で、ときには二人並んで坐り、父親の前で競うようにして、書物を読み上げる。

元助はそんな光景を遠目に見るのが好きだった。井戸から水を汲み上げて庭を通り、畑に出る際、声のする縁側の方をちらりと眺めた。庄屋とその跡取り息子たちがああやって難しいことを覚えていてくれる限り、貧しいながらもこの高田村は成り立っていく気がした。

助左衛門の前で書物を読むのは息子たちだけでなく、ひとり娘で一番上の志をも同じだった。女なのに字を覚えねばならぬとは難儀なことと、元助は思った。その志をも、今から十年ばかり前、隣村の庄屋の跡取り息子の許《もと》に嫁入った。

元助が庄屋同士の嫁入りを見るのは初めてだった。百姓の嫁入りと比べて荷から違っていた。夏梅村から結納の際に贈られた帯は、漆の棹にだらりと垂らされ、村人の眼を奪った。元助も伊八の脇で眺めた。なるほど艶《つや》といい柄といい、日頃眼にしている木綿の帯とは全く別物の帯だ。太織だと伊八が教えてくれた。

嫁入りの際は、伊八が駆り出され、大きな葛籠《つづら》を背負った。その前を別の下男が前と後ろで長持一棹を担《かつ》いだ。当の志をは、白い嫁入り衣裳《いしょう》に身を包み、ゆっくりと歩を進めた。いつもは打々発止《ちょうちょうはっし》としゃべり続けている奥方も、娘の手を取って神妙に歩いていた。

志をにも次々と赤子ができて、そのたび里帰りで顔を見せた。髪形も変わり、お歯黒の顔になって、すっかり娘時代とは別人のようになっていた。

元助は汗がにじまぬように、風呂敷包みを持ち直す。

清宗村は大水の出た巨瀬川のすぐ近くにある。水の災厄が少なかったのは高台になっているからだ。しかしその分、ふだんから水が田に行き渡らず、稲の出来も悪い。畑に植わっている茄子《なすび》も伸びきれず、立ち枯れの一歩手前だった。巨瀬川から水を汲んでは運んでいる村人の姿があちこちに見える。子供までが、小さな天秤の前後に桶をぶら下げて畦道をよたよたと歩いている。

肥桶を担いで来る年配の百姓に、元助は「精が出ますな」と、声をかけた。相手は「おう」と答えたきり、「ヨッショ、ヨッショ」と言いつつ通り過ぎる。あとに糞尿の臭《にお》いだけが残った。乾いた土に、濃い下肥は禁物で、水で薄めたものしかやれない。そうすると川と肥溜めの二ヵ所に行かねばならず、手間は二倍になる。よその村の者と立ち話をする暇などないのだ。

清宗村の道や家々のたたずまいを前にして、元助はどこか懐《なつ》かしさを覚えていた。幼い頃から、幾度となくいとに手を引かれて来て、庄屋の家で薬を貰《もら》った。高田村から清宗村までは何十里もあるくらい遠く感じられ、道もくねくねと曲がっているように思えたのが不思議だ。

あんなに何度も通ったのに、いとが代金を支払ったところは見たことがなかった。あれは、二つの村の庄屋同士で勘定がなされていたとしか思えない。

平右衛門の屋敷には塀がなく、代わりに茶の木が生垣になっていた。子供の背丈でも屋敷の中は丸見えで、庭で麦干しをしたり、大根の切り干しをしている光景が遠くからでも見えた。

その茶の生垣も、大きな石を二つ無雑作に立てただけの門も、昔と変わらない。屋敷の庭が外から見えるのも以前どおりだったが、元助ははいっていいものかどうか迷った。というのも主屋の前に侍が三人いて、馬が三頭つながれている庭に百姓が二人、坐らされていたからだ。

侍のうちのひとりは、菅村の庄屋が棒晒《ぼうさら》しにあった日、元助に情をかけてくれた老侍だった。

元助は腰をかがめて納屋の方に回り、心配気に眺めている荒使子《あらしこ》の下男に声をかけた。

「高田村の庄屋殿の使いで参っとります。ここの庄屋様に、書状と書物ば届けてくれち言われました」

「ちょっと待っとくがよか。もうすぐ終わるじゃろ」

男は元助を一瞥《いちべつ》し、また庭の方を眺めた。

主屋の脇にある土蔵の陰にも下女たちが集まって、事の成り行きを見守っている。

「一体、何があっとるとですか」声を潜めて元助は訊いた。

「拝領銀ばごまかした者がおって、郡役所から取り調べのお侍さんが来てござる」

「拝領銀ですか」元助は驚く。

「馬が水害で死んだと言って、馬銀を貰ったのはよかが、その馬が実際には生きとった」

なるほどそうなると盗っ人と同じだ。村で百姓が飼っている馬は、普段は農耕に使役されていても、日田街道で運搬の荷があれば駆り出された。毎年二月、村内の牛馬の数は庄屋が数え上げて、大庄屋に届けるのがならわしになっている。だからこそ死んだ牛馬はお上が買い上げ、新たに牛馬を買い入れる金を、庄屋を通して百姓に与える仕組みになっていた。

「うちの旦那《だんな》さんも、自分の眼で死馬を見に行かんで、そのまま信じてしまわれた――」

「馬はしばらくどこかに隠しとったとですね」

「耳納の山ん中にな。拝領銀は、あそこにいる二人で山分けたい」下男は顎《あご》をしゃくる。

二人とも三十代半ばだろうか。地面に額をこすりつけている。

「どげんなりますか」

「もとはといえば、うちの旦那さんが死馬を確かめんかったのが悪か。そいで、自分が真先に罰せられなきゃならんと、申し出てある」

「庄屋殿がですか」元助は問い返す。

「ばってんそげな理屈で庄屋が罰せられるちなると、役人のほうも具合が悪い」

下男は鼻をうごめかしながら一段と声を低めた。「考えてみれば、あの役人たちも死馬の検分をしとらん。庄屋殿と同じ罰になる。だから、そう簡単に旦那さんば捕えるわけにはいかんとよ」

なるほど。元助は清宗村の庄屋の知恵に感心する。

「それで、どげんなるとですか」元助がまた訊く。

「成り行きば見とると、お侍たちはどうも落とし所ば考えとるごたる」

下男は元助に顔を向けた。「もともと、うちの村のあの二人、稲の出来が悪かけ、こげなこつば思いついたとやろ。年貢米《ねんぐまい》を納めるだけの米はとれんばかりか、種籾《たねもみ》の代金も払えんち言いよったけんな。魔がさしたとやろ」

平右衛門と役人たちの話が終わり、罪人二人は立たされた。それぞれにつけられた腰縄の端を侍二人が持ち、それをたばねるかのように後ろに老侍が続いた。

「終わったごたる。罪は罪じゃけ、二人ば郡牢に入れるとじゃろ。そして七日ばかりたった頃、旦那様が、拝領銀の立て替え分ば持って、迎えに行かっしゃる。郡役所としては、それでこの件はなかったもんにできる」

下男は自分で頷《うなず》き、石の門から出て行く一行を見送った。侍三人は馬だが、百姓二人は腰縄に引かれて小走りだった。他の家の庭先でも、村人がようやく植込みや物陰から出て来て、ささやき合っている。

「ちょっとここで待っときんさい」

下男は言い、縁側に坐っている平右衛門の傍に寄った。話が通じたのか、平右衛門がこちらに眼をやったので、元助は小腰をかがめる。下男が手招きした。

下男について土間にはいった。ここでも懐かしい薬草の匂《にお》いがした。壁際《かべぎわ》に積み上げられた蓬《よもぎ》草や臭木《くさぎ》の枝、干した宿り木なども、昔のままだった。

下男が声をかけると、板襖《いたぶすま》が開いて平右衛門が姿を見せた。

「助左衛門殿の使いかの」

「頼まれた書状と書物を持って参りました」

元助は背をこごめて風呂敷包みをさし出す。

「元助」

名前を呼ばれて顔を上げる。平右衛門が目を細めていた。

「えらくたくましくなったの。助左衛門殿から元助が打桶《うちおけ》をやっとると聞いて、びっくりした」

「へっ、もう五年になります」元助はさらに腰をかがめる。

「まさかお前が、打桶をやれるような男になるとは思わんかった。やっぱ血じゃろ。お前のお父《と》っつぁんも頑丈な身体《からだ》ばしとったけんな。打桶ばしおって、右足はどうもなかか」

「どうもなかです」

子供の頃に飲んだ煎《せん》じ薬のおかげと思ったが、お礼の言葉が口をついて出ない。二本足で地面に立ってみせるのが精一杯だった。

「ほんに打桶は高田村の命綱じゃけな。あの土手の上に立って水を汲《く》む者がおるけ、村の田畑は成り立っとる。おっかさんは元気か」

「元気にしとります」

「そりゃよかった。あのおっかさんも気骨があった。ここにお前ば連れてくるたび、庭の掃除ばして帰った。竹箒《たけぼうき》で、塵《ちり》ひとつないくらいに清めてくれて、ときには草も取った」

それは元助も覚えていた。いとが草取りや掃除を終わるまで、元助は庭の隅で蟬《せみ》の穴を掘ったり、脱け殻を探したりしていたのだ。あれは今になって思えば、薬代のつもりで行ったことなのだろう。

平右衛門は縁側に正坐《せいざ》し直して、助左衛門の書状を広げて声を上げた。難しい言い回しなので元助には理解できない。しかし右の手から巻紙が垂れていくにつれて、庄屋の顔が引き締まっていくのが元助にも分かった。〈平右衛門殿の返事ば聞いて来てくれるとよかが〉と言った助左衛門の言葉を思い浮かべながら、元助は上眼づかいに、庄屋の顔を凝視する。

最後まで読み終えた平右衛門は、顔を上げ天井に眼を浮かす。

「とうとう助左衛門殿が決心されたか」

呻《うめ》くような声だった。そのあと二度三度、顎を引いて頷く。元助は返事を待った。

「助左衛門殿に伝えてくれんか。この本松《もとまつ》平右衛門、命ば賭《か》けて共に歩ませてもらうと言っとったと」

こちらを見据える目が赤く潤《うる》んでいるのを、元助は見逃さなかった。

「はい。間違いなく伝えときます」

「それから、菅村の猪山作之丞殿、今竹村の重富平左衛門《しげとみへいざえもん》殿には、私からさっそく書状を送ると申し上げてくれ。これで五庄屋が揃《そろ》うた」

「へっ、かしこまりました」

「よか話ば持って来てくれて嬉《うれ》しか。死馬のごたごたでもやもやしとった気持も、これで吹き飛んだ」

立ち上がった元助に平右衛門は声をかける。「この計画が晴れて成就《じょうじゅ》すると、打桶もいらんごとなる。元助もこれでおやじさんと同じ本物の百姓になれる」

「へっ」

元助はまたお辞儀をし、土間を通り抜ける。そうか、死んだ父親は本物の百姓だったのかと思った。

庭に出たとき、名前を呼ばれた。目の前で、見覚えのある顔が笑っていた。

「元助が来とると聞いたもんだから。ほんに久しぶりやね」

この十年煎じ薬は飲んでいないから、庄屋の娘のしげともそのくらい会っていない。嫁入ってすぐ出戻り、当時から父親の薬作りの手伝いをしていて働き者だった。

「足はどうもなかね」

「どうもなかです」

咄嗟《とっさ》に答える。走るのは苦手で歩く恰好《かっこう》も悪いかもしれないが、日頃、具合の悪さを感じたことはなかった。悪態をついていた遊び仲間も大人になった今、何も言わない。

「これば持って行きなさい」

しげが藁包みをさし出す。「鮠《はや》の日干し。これからもちょくちょく来るとよか」

「ありがとうございます」

元助はおしいただく。しげが家の中に戻るのを見届けて、屋敷を出た。

清宗村を過ぎたところで、藁包みを開けてみる。干されてカリカリになった鮠が二、三十四中にはいっていた。打桶の小休止のとき、伊八と食べるのにはもってこいだった。

元助は歩きながら、今しがた平右衛門の口から出た助左衛門への伝言を整理する。大切なことは二つだ。ひとつは、命を賭けて共に歩むという言葉、もうひとつは、菅村の庄屋と今竹村の庄屋にも自分が書状を出すということだった。

菅村の庄屋は棒晒しにあった庄屋で、忘れようにも忘れられない。庄屋でありながら、継ぎの当たった寸足らずの単衣を着ている人だ。今竹村の庄屋も何度か助左衛門の屋敷を訪れているので、顔は知っている。青白い顔をしていて、日に焼けた助左衛門の傍に立つとその青白さが余計目立った。

元助はそこではたと疑問にかられる。平右衛門は、〈これで五庄屋が揃うた〉と呟《つぶや》くように言ったが、助左衛門も入れて庄屋は四人しかいない。あとひとりの庄屋はいったい誰なのか。元助は首をひねったが、すぐに思い当たる。夏梅村の次兵衛《じへえ》殿に違いなかった。志をが嫁入った二年後、庄屋どんが亡《な》くなって、亭主である次兵衛殿が家督を継いでいた。若くして庄屋になったので、何か事があると助左衛門を訪ねて、知恵を借りていたようだ。五人目の庄屋は、あの次兵衛殿に間違いないと元助は思った。

五　時《じ》疫《えき》

「牛のつちがどうもおかしか、来てくれんか」

同じ荒使子《あらしこ》の長吉が元助たちの納屋《なや》に飛び込んで来たのは、元助と伊八が筵《むしろ》編みを終えて、寝床にはいりかけたときだった。

屋敷の中には、主屋《おもや》の南にある中庭と井戸を挟んで、納屋が四棟と蔵が一棟並んでいた。

いとたち女の荒使子は主屋の下女部屋に寝泊まりし、元助たち男の荒使子六人はそれぞれ納屋に分散して寝ている。

長吉だけは、一番奥の牛馬小屋の横にある納屋にひとりいた。

駆けつけると、牛小屋の中で、つちは横倒しになり荒い息をしていた。口からは白いよだれを垂らしている。伊八が腹に手を当てて、元助と長吉を見上げた。

「こりゃ、はやり熱ばい。与蔵の牛も同じはやり熱じゃったろ。夜通し水ばかけて、何とかもちこたえたと言っとった」

「やっぱ、そげんですか」長吉は元助に目配せして、井戸まで走る。

主屋も他の納屋も灯が消され、寝静まっていた。

「あんまり音をたてんように」長吉が注意した。

幸い月夜だった。元助が慎重につるべをたぐり、かいば桶《おけ》に水を入れる。長吉が運んだあと、元助も別の木桶に水を汲《く》み、牛小屋まで持って行く。

つちは長吉から水をかけられて嫌がるどころか、地面にたまった水をなめた。立ち上がる力もなさそうだった。

「続けとってくれ。わしは氏神様のところにひとっ走りする」伊八が突然言った。

「どげんするとですか」驚いて長吉が訊《き》く。

「願《がん》かけたい。与蔵のところの牛も、願かけてよくなったち言いよった」伊八はもう走り出していた。

長吉と代わる代わる井戸まで行き、水を運んで来ては牛にかける。水をかぶったあと、つちの黒い腹からは湯気が立った。

「今日の昼は畑で働いとったがの」

元助は打桶の帰りに、畑にいたつちを見ている。長吉が脇《わき》について、犂《すき》を引かせていた。

「そんときから、少しおかしかった。何度も立ち止まって息ばついとった。鞭《むち》を当てられて動き出すばってん、すぐ歩きやめての。よだれも多かったけん、やっぱし具合が悪かったとやろ。はよ気がついてやればよかった」

長吉はつちの首を撫《な》でて、また水を汲みに行く。元助は大きく上下しているつちの腹を眺めた。

与蔵のところの牛は病いが癒《い》えたというが、つちはそれ以上に重病のような気がする。

はやり病いなら、村中の牛をしばらく牛小屋から出さないようにしたほうがいい。明日の朝、伊八の口から助左衛門に伝えられるはずだ。

「つちが死んでも、拝領銀でまた新しか牛が買えるじゃろ」

水桶を運んで来た長吉に元助は言った。「拝領銀は馬が二百匁《もんめ》なら牛は半分げな」

清宗村の庄屋の家で見たことを話したとき、伊八がそう教えてくれた。長吉は黙って水をかけ、牛の背中をさする。

「清宗村で、馬を山に隠して拝領銀ばだまし取ろうとした百姓がおった」

元助は平右衛門の家で見た取り調べを長吉に話してやる。

「そげな悪知恵の百姓と違って、こっちはちゃんと牛が死ぬけん、堂々としとってよか」

何げなしに言った元助を、長吉がぐいと睨《にら》みつけた。

「お前は、何ちゅうこつば言うか。つちが死んで、誰が涼しか顔で金ば貰《もら》えるっか。元助、お前はもうここにおらんでよか。納屋で寝とれ」

長吉が声を張り上げたので、元助は一度に眠気が吹っ飛ぶ。

「そりゃ、つちはもうおいぼれかもしれん。ばってん、十年、俺と一緒に働いてきとる。日照りのときも、雪が降るときも、風が吹くときも一緒に畑に出た。ここいらの土は、乾いて固か。つちはそいでも、文句いわず、犂ば引いてくれた。年貢《ねんぐ》納めのときの荷車も引いた。よその村に買われとったなら、もっと楽じゃったろうに、運が悪かち思っとろ」

長吉はまた元助を睨みつけた。「雪の日、俺が畑に行きとうなくてもたもたしていても、こいつはモーと鳴いて催促した。つちが働くなら俺も働かにゃいかんと思って、仕度ばした。牛に引かれて善光寺参りち言うばってん、俺はつちに引かれて何度も田畑に行ったとよ。

元助、お前にゃ分からんじゃろ。打桶と水汲みばかりしとるから、牛馬のこつは何も知らん。おれは拝領銀のこつなど、これっぽちも考えてもみんかった」

そういうつもりで言ったのではないと元助は思ったが、言い訳が見つからなかった。立ち上がって水を汲みに行く。

月明かりの下で、音がしないようにつるべを下に落とし、引き上げる。ゆっくりと桶に水を移した。

長吉の言葉がまだ胸に刺さっていた。確かに自分は水汲みばかりしていて、他の百姓仕事についてはすべて半人前だった。まして牛馬のことなど何も知らない。

打桶ができれば一人前の百姓と人は感心してくれるが、たぶんそれは嘘《うそ》だ。まして伊八がよく口にする〈打桶こそ百姓の中の百姓しかできん〉というのは、屋根葺《ふ》きどんの手誉めと変わらない。

中庭の先に人の影が見えた。伊八が戻って来ていた。

「どげんか。つちは」

「まだ息が荒かです」

「社《やしろ》でふくろうが三回鳴いた。二回なら助からんが、三回なら助かる。心配なか」

水桶をさげて牛小屋に戻る。伊八が長吉にふくろうの三度鳴きを伝えると、長吉の顔色が変わった。

「間違いなか。与蔵が願かけに行ったときも、そげんじゃったげな」

伊八は元助に目で合図して水をかけさせる。つちは気持よさそうに目を細め、長吉は自分が濡《ぬ》れるのも構わず首筋を撫で続ける。

「元助、ここは二人でよか。眠かろうけ、お前は納屋で寝とけ。その代わり、わしが眠とうなったら交代しろ。よかな」

「すんまっせん」元助は頭を下げ、納屋に戻って藁布団《わらぶとん》の中にもぐり込む。横になったとたん眠気が襲ってきた。社の木の上に止まっているふくろうを思い浮かべているうちに寝入ってしまった。

朝、目が覚めたのは、権から顔をなめられたからだ。外はほのかに明るかった。と び起きて、牛小屋に急ぐ。伊八と長吉はまだ牛のそばにいた。

「すんません」元助は詫《わ》びる。

「よかよか。わしたちも、代わる代わる眠らせてもろうた」伊八が少しばかり赤い目を向けた。

つちの荒かった息づかいは夜中よりも減り、今は目を閉じて眠っている。

「時疫のこつば旦那《だんな》様に言うのは長吉に任せて、わしたちは打桶に行くか」伊八が立ち上がる。

「大変じゃな」昨夜のことを詫びるように長吉が元助の顔を見上げた。

主屋の方では、もう女たちが起き出していた。納屋に戻って藁包みを懐《ふところ》に入れる。しげから貰った干した鮠《はや》がまだ何匹か残っていた。伊八は煎《い》り豆をひと握り、竹籠《たけかご》に放り込んだ。

後ろから権がついてきていた。

「二、三日休ませておけば、つちも元気になるじゃろ」

「ふくろうが三回鳴いたとが良かったですね」

「長吉の看病が効いた」伊八が首を振る。「長吉はとうとう一睡もせんじゃった。水をかけては、つちば撫でとった。つちもここで死んではならんと思ったとじゃろ。あすこまでの世話は、わしにゃでけん」

田の稲がいくらか垂れ始めている。畦《あぜ》に植えた大豆も、実をふくらませていた。

権が先になって土手を上がる。元助と伊八もあとに続き、また土手を下って顔を洗う。元助だけが両手で水を掬《すく》い、口に入れた。ひと頃と比べると、水が温《ぬる》くなり、甘い感じがする。元助の脇で権も水を飲む。

土手から打桶を投げ下ろす。オイッサ、エットナ。オイッサ、エットナ。掛け声に節をつけて打桶を引き上げ、水口にぶちまける。また打桶を放り込む。夜の間に少し乾きかけていた溝がまたたくまに湿り、十杯目くらいからは、水が流れ出す。

「ほう珍しか」

伊八が川上の方に眼をやった。「あの船は日田からの荷を載せとる」

日頃筑後川を下る船よりはひと回り大きく、舳先《へさき》の旗が違っていた。荷は米俵で、二人の船頭と一人の侍が乗っていた。

「しかも、こん時刻にここまで下ったとなると、日田は真夜中に出たとじゃろ」

日田御領からの筏《いかだ》はよく見かけた。夜明《よあけ》という所に関津という荷出し場があり、杉の印のついた旗が舳先からなびき、まるで平たいムカデが川面《かわも》を泳ぐように、ゆったりと下っていく。前と後ろで筏師が棹《さお》を操っていた。

川下には恵利《えり》や瀬下《せのした》など、四、五ヵ所に遠見番所があった。禁制品の搬入や抜け荷を取締まるためで、御領の旗のある筏と船だけは素通りできるという。

「やっぱりあの船は御領からの下り船ですけん、宮地留《みやのじ》はせんでよかとでしょうか」

元助は船頭の棹さばきを見ながら伊八に訊いた。

「日田船は別物。そんまま通ってよか通行手形を持っとる。わしが若か頃、二度、川下まで下ったこつがある。菜種を百五十俵ばかり積んだ船に乗った。筑前の比良松《ひらまつ》の大庄屋が荷出人じゃった。そん船はやっぱし宮地留になって、船頭以下みんな降ろされて、御領内の船頭と入れ替わった。お侍も乗り込んで来る」

「降りた人間はどげんするとですか」

「道をてくてく歩く他はなか。町の中ば通って瀬下まで来ると、船が待っとった。宮地留は一石三鳥たい。そのあたりは、筑後川の左岸に城がそびえたっとるじゃろ。元助は見たこつがなかろうが、高か石垣の上に、また高か本丸がある。宮地留で、よその船がそんまま城の下を通るのば防げるのがひとつ。船頭が入れ替わっとる間に、抜け荷がなかかどうかも調べらるるし、船頭たちの素性も分かる。税も取らるる。そんうえ、船頭たちの懐が温かければ、町中で何か買物ばして金も落としてくれるやろ。そよう考えたもんじゃ」

「そん菜種船は、瀬下からまたどこまで下ったとですか」

元助にとっては考えも及ばない遠い土地の話だったが、興味をそそられた。

「瀬下から住吉ば通って、最後は榎津《えのきづ》に着いた。そこで積荷は大きな船に積み替えられた。わしたちはそこまでたい」

伊八は打桶の綱をたぐりながら、川下の方に眼をやった。

「大きな船は、その榎津からどこに行くとですか」

「荷の行き先は、大坂になっとった。大坂ちいうのは、海をぐるっと回って、今度は東の方に進まにゃならん。元助は、旦那様から絵地図ば見せてもろうたこつはなかか」

「なかです」

「大坂まではひと月はかかるげな」

元助は目の前を音もなく流れる筑後川を、改めて眺める。日がなここに立って水を汲み上げて、筑後川を知ったつもりになってはいるが、自分が見ているのは川のほんの一部なのだ。ちょうど、大蛇のうろこ一枚を自分が見て触れていると思えばいい。

「ひと休みするか」

打桶の水をぶちまけたあと、伊八が言った。

いつものように土手に坐《すわ》り込み、藁包みを取り出す。元助は下に降りて行き、腹一杯水を飲んだ。食べる前にそうしておけば、少しの食い物でも我慢ができた。

いつの間にか権もどこからか戻って来ていて、伊八の後ろに坐っている。ひとつまみでも、何か貰えるのを知っているのだ。

煎り豆を何回もかみ砕く。どろどろになるまで噛《か》んで、唾《つば》と一緒に呑《の》み下す。しげが土産にくれた干し鮠も同じだ。醬油《しょうゆ》の味が香ばしい。

伊八は鮠の半分を権に与えた。ようやく待ち望んでいたものにあずかったが、権は元助たちと同じように、呑み込むのを惜しんでいつまでも口を動かした。

「筑後川ば堰止《せきと》めたら、船や筏はどげんして通るとですか」

さっきから気になっていたことを元助は口にした。

「堰には舟通しばつけんと、どうにもこうにもたちゆかん」

「川をふさいで、船の通り道もつけるとですか」

理屈が分からず元助は首を捻《ひね》った。とはいえ、伊八からいくら話を聞いても、実物を見ないかぎり自分の頭では分からない気がした。

「またひと仕事始めるか」

伊八が川の方に向かって下帯の前をはだける。元助もならい、二人で放尿した。

その日、昼過ぎからの打桶も終わり、納屋《なや》に戻って夕餉《ゆうげ》をすました頃、長吉が駆け込んで来た。

「またつちが熱を出したとか」伊八が莚機《むしろばた》の手をやめて訊く。

「つちは元気になっとる」長吉が口を尖《とが》らせた。「旦那さんが今竹村まで行かんといかんので、元助に提灯《ちようちん》持ちを頼むとおっしゃっとる」

「元助にか。お前が行けばよかとに」

「元助じゃないといかんらしか」長吉が首を振った。

「自分が行きとうなかけ、元助の名ば出したとじゃろ」伊八はまだ信じない。

元助は莚機から離れ、立ち上がる。

「ちょっと顔出して来ますけ」

伊八に言い、長吉のあとについて納屋を出た。外には半月が出ていて、真暗闇《まっくらやみ》ではない。昼間の暑さはおさまっていた。

助左衛門はもう主屋《おもや》の玄関口で草履に足を通していた。元助の顔を見て、頷《うなず》く。

土間から奥方のちよが出て来て、提灯を元助にさし出した。

「火打ち石は、こん袋に入れとるからね」

渡された布袋を懐におさめ、火のついた提灯を手に持った。

助左衛門は、黒足袋に袴《はかま》、羽織姿だった。

「夜分、すまん。平左衛門殿の家で大切な寄合があってな」助左衛門が元助に言った。

ちよと長吉に見送られて屋敷を出る。

「夜道も、たまには気分がよか」

後ろから助左衛門に話しかけられ、元助はどう答えていいか分からず、頭だけを下げた。

村中の家で明かりのついている所は一軒もない。夜なべをするにしても、窓から射《さ》し込むわずかな月明かりが頼りだ。伊八と一緒の納屋仕事も同じで、莚機は目を閉じて扱っているのと大差なかった。

しかしどの家からも音だけは漏れてくる。赤ん坊の泣く声、子供の笑う声、大人たちのぼそぼそ声。莚機を動かす音や、藁を打つ音、かと思えば石臼《いしうす》を回す音までも聞き分けられた。

後ろを歩む助左衛門はずっと黙ったままだった。おそらくこれから行く大事な席での用件について、考えを巡らせているのだろう。元助は右足をひきずりながら、薄闇の奥を見据えて先導する。

風が起こり、かすかに肥溜《こえだ》めの臭《にお》いがした。近くに下肥を貯《た》めておく肥溜めがあるのか、下肥をかけたばかりの畑があるのに違いない。元助はわざと足を速めた。

夏梅村の脇《わき》の道を通り、今竹村に続く道を左に折れる。

「元助、急がんでよか。あんまり早く着くと、平左衛門殿も面くらわっしゃる」

助左衛門から言われ、元助は歩みをゆるめる。足をひきずるせいか、人より遅れまいとして速足になる癖がついていた。後ろに人がいるとなおさらだ。

「山形星が見えとる」

元助が立ち止まると、助左衛門は筑後川の方を向き、指さした。「少し斜めになっとるが、今日は特にきれいか」

元助が知っている星の名は四つ五つしかない。山形星はそのうちのひとつだが、しみじみと眺め上げたことなぞなかった。

「きれいかです」

元助は答え、周囲も見回す。いつの間にか、あちこちに星が輝いていた。

「昔は、よう星が見えたが、この齢《とし》になるとどの星も糠星《ぬかぼし》のようになってしもうた。妙見《みょうけん》と山形星くらいはまだ見分けられるが」

いつも北にある妙見も筑後川の上の方に輝いている。確かに元助の眼には、いくつもの星が見えはする。とはいえ、どの星が何なのか見分けられないので、今でもすべてが糠星のようにしか見えない。初めから、年老いた目と同じようなものだった。

かすかに吹く風が汗ばんだ肌に心地よかった。

今竹村の方から馬のいななきがした。村中にはいっても、明かりのついている家はない。やはり、井戸のつるべを動かす音や、藁打ちの音はどこからともなく聞こえる。

庄屋の家がどこにあるかは、助左衛門のほうが知っていて、元助は指図どおりに辻《つじ》を曲がった。左手に土塀が現れる。ところどころ土が落ち、竹と縄の骨組みが見えていた。檜《ひ》皮《わだ》葺《ぶ》きの門の屋根は朽ちかけて丸みを帯びている。

通用門をくぐると前庭は広く、馬が一頭つながれていた。

「もう菊竹《きくたけ》様は見えとるごたる」助左衛門が緊張気味に言い、羽織の襟に手をやった。庭の奥にある主屋には何ヵ所か明かりが灯っていた。助左衛門が咳払《せきばら》いをひとつする。

「元助、外で待っとってくれ。小《こ》いっときはかかるはずじゃけん、提灯の火は消しとったがよか」

閉まった表戸の前に立ち、助左衛門が声を上げようとしたとき、戸が開いた。庄屋の奥方だろう、客を招き入れると同時に外を見て、供がいるかどうかを確かめる。助左衛門が元助の方を指さし、何か言うと、戸が閉まった。

小いっときを、どこかで過ごさなければならなかった。蔵や牛小屋、納屋が主屋を囲むようにしてあったが、そこにはいる勇気はない。

元助は梅の木につながれた馬の傍に寄る。首筋を撫《な》で叩《たた》くと、馬は目を細めた。かなりの老馬だ。鞍《くら》が取りつけられていることからして、百姓馬ではない。庄屋も大庄屋も、馬に鞍をつけては乗らない。やはり客の中に侍がいるのは間違いなかった。

侍を交えていったい何の話し合いが行われているのか。

元助はそこまで考え、畑の隅にある藁小積みの脇に腰をおろし、提灯の火を消す。

そこからだと、表戸から助左衛門が出てきても、すぐ気づくことができた。

藁小積みに背をもたせかけたとたん、昼間の疲れが身体《からだ》中から沁《し》み出してきた。納屋で米俵や莚を編むときは、この疲れと眠気を追い払うのにひと苦労する。加えて、いつもつきまとっているのが空腹感だった。干魚でも煮大根でも、そばがき、茄子の田楽、冬瓜《とうがん》汁でも、腹がふくれて歩けなくなるほど食べてみたかった。

元助の好物はとろろ飯だった。麦飯でも粟飯《あわめし》でも何でもいい、その上にとろろ汁をかけて、丼《どんぶり》一杯かき込む。丼一杯だとあっという間に終わってしまうので、できれば二杯三杯欲しい。思い切っていうなら、五杯はいつでも食べられそうだった。五杯食べることが許されるなら、十日くらい水だけで我慢してもいいとさえ思う。そのとろろ飯に丸干大根の味噌《みそ》漬でも添えてあれば、もう何も言うことはない。

そこまで考えて元助は思わず生唾を呑み込む。考えられただけでも得したような気がした。莚機の前にいるときと違って、手足を動かす必要もない。全身の力を抜いて休めるだけでも幸せだった。

いつの間にかまどろみ、はっとして目を開けたのは、人の声を聞いた気がしたからだ。それもか細い女の声だった。

「ここにおらっしゃったとですね」

月明かりの影になって声の主の顔は見えなかったが、裸足《はだし》だけは見えた。小さな足だった。元助は顔を上げる。

「奥様から、これをあげておいでち言われたもんで」

女はしゃがみ込み、地べたに盆を置いた。椀《わん》と汁、湯呑み、箸《はし》がのせられていた。

「招《よ》ばれてよかとですか」元助は坐り直す。

「どうぞどうぞ、お代わりもありますけん」

見上げたがまだ女の顔は見えない。わざわざ月の影になるように立っているのかもしれなかった。

「お代わりは滅相《めつそう》もなかです。これだけ、いただかせてもらいます」

元助が箸を手にすると、下女はくるりと背を向け、小走りで主屋の方に消えた。

大椀にはいっているのは菜飯だった。まだ温かく、油菜の匂《にお》いで口の中に唾が広がってくる。温かい汁椀も手にして、元助は声を上げそうになる。干ししいたけにしめじのはいった清《す》まし汁だった。そして湯呑みの中は、白酒《しろざけ》だ。

酒を口にするなど、何年ぶりだろう。志を様に二人目の子供ができて、男の荒使子《あらしこ》全員が二杯ずつおこぼれにあずかったのが最後だった気がする。

まず白酒をひとすすりする。ほのかに甘味があった。呑み込む酒のはしから、その一滴一滴が身体の中に沁み込んでいく。元助はしばらく陶然とし、思い直して菜飯もひと箸口に入れる。ひたすらに嚙みひしゃぐのはいつものことだ。味つけは胡麻醬油《ごまじょうゆ》かもしれない。口の中に何ともいえない風味が広がった。呑み下したあと夜空を見上げ、ひと息つく。そして改めて清まし汁も飲んだ。

これだけの大椀なら、十口、いや二十口は食べられそうだった。白酒にしても、ちびりちびりすすれば、二十回か三十回はすすれる。考えるだけで気が遠くなりそうだった。

帰ったら長吉と伊八に話したほうがいいだろうか。言わないがいいに決まっている。長吉は自分が行けばよかったと、地団駄踏んで口惜しがるのは間違いない。伊八は今頃、空《す》き腹をかかえて莚機の前に坐っているはずだった。

しかし言わないでいられるだろうか。そのくらい菜飯は味がよく、白酒も臓腑《ぞうふ》に沁みわたる。なるべくゆっくり飲んで、食べようと思ったが、手と口がそれを許さなかった。時間をおくと目減りでもするかのように、手と口が動いてしまう。

飯椀の中のひと粒も、汁椀と湯呑みの中の一滴も残さずに食べ終え、盆の上に椀と箸を並べた。自分が地面の上に正座しているのに気がつき、胡座《あぐら》をかいた。

盆を返しに行くかどうか迷っていたところに、さっきの下女が表戸から出て来た。

まるでどこからか一部始終をうかがっていたような按配《あんばい》だったので、元助はまた盆の前で正座し直す。

「お代わりはどげんでしょうか」

女の声が訊《き》いた。月の影になって、最初のときより顔の見分けがつきにくい。

「もう充分ですけん。えろう、うまかったです」

本当はあと二杯でも三杯でも腹の中におさまりそうだった。言ったあとで後悔はしたが、すぐに思い直す。提灯持ちで来た男が菜飯を二杯も食べたとなると、助左衛門に恥をかかす。それどころか、高田村の百姓はこんなふうに、みんな腹を空かせていると思われては、村の名折れにもなるのだ。

「それはよございました」

女は腰をかがめ、元助の前にあった盆を手に取った。何かの匂いをかいだように元助は思い、どきりとする。奥方やしげのような化粧の香でもない。若い女の肌の匂いに違いなかった。

元助は去っていく下女の裸足を見つめながら、自分の気持を鎮《しず》め、胡座をかきなおす。

空き腹に白酒がきいたのか、身体全体が綿に包まれたような気分だ。助左衛門の用事が終わるまでは、まだしばらくはあるはずだ。元助は、そのまま藁《わら》小積みに寄りかかり、目を閉じた。

どのくらい眠っていたのかは分からないが、馬の鳴き声で目が覚める。誰かが馬の手綱を取り、表戸の前で人声がしていた。四、五人ほどの人影の中に助左衛門もいた。元助は居住まいを正して立ち上がる。小腰をかがめたまま、何歩か前に出て、上眼づかいに様子をうかがった。

手綱を握っているのは、馬の主の付き人のようだった。灯のついた提灯を手にして、ちゃんと草鞋《わらじ》もはいている。

助左衛門がしきりと頭を下げている相手は、小柄な侍だった。助左衛門の脇にいるのは、年格好からして今竹村の庄屋だろう。その後ろにいるきちんと髪を結った女は奥方に違いない。

侍が馬の方に寄ったとき、助左衛門が元助に気がついて手招きした。

元助は、侍が自分の右足をじっと見ているのを感じ、腰をかがめたまま助左衛門の後ろに控えた。そこで初めて上眼づかいに侍の顔を見た。

あの侍だった。菅村の庄屋が棒晒《ぼうさら》しにあったときに、元助が水をやったのを大目にみてくれた老侍だ。清宗村の庄屋を訪れ、拝領銀をだましとった百姓を取り調べていたのもこの老侍だった。

「うちの荒使子で、元助と申します」

侍の顔色を見てとって助左衛門が言った。「いつぞやお話し申し上げた、島原の役で倒れた高田村の助一《すけいち》の倅《せがれ》です」

「そうだったとか」

侍が頷き、目を細める。「それは知らんかった。助左衛門のところの荒使子というこつじゃが、打桶《うちおけ》ばしよるとはお前じゃなかか」

訊かれても元助は咄嗟《とっさ》に声が出ない。

「ようご存知で」

元助の代わりに助左衛門が答えた。「雨の日以外は一日に二回、相棒の伊八と共に土手に出とります。昼間のふたときばかりは打桶をやめて、普段の百姓仕事ばしとります」

「暑か日も寒か日も、打桶しよるとこは遠くから見たこつがある」

「一日中やると身体がもちませんので、日が真上にあるうちは、ちょっとした骨休めをしとかんと務まらんとです」

そうじゃな、と言うように助左衛門は元助の顔を見る。「へっ」元助はかしこまりながら言った。

侍が馬に乗り、付き人が右手で手綱を引き、左手で提灯をぶら下げた。門から出て行くのを、元助たちは頭を下げつつ見送った。

庄屋の奥方が、元助の持っていた提灯を受け取り、主屋の中に引っ込む。程なく出て来たとき、若い下女を伴っていた。提灯にはあかあかと火が灯っている。

下女から提灯を受け取るとき、元助はその足元を見た。藁小積みまで白酒を運んでくれた女の裸足に間違いなかった。

「えろう、すんません」

元助は提灯の火に照らし出された女の顔を初めてみる。愛くるしい顔が笑っていた。どぎまぎした元助は眼をそらし、そばにいた奥方に対して二度腰を折った。

「これで失礼します。何から何まで、お世話《ご》になりました」

助左衛門が平左衛門に頭を下げ、いとま乞いをする。

提灯を持った元助が先導する。門の手前で助左衛門が振り返る。主屋の前にいる人影の顔はもう見分けがつかなかったが、元助はまだ胸の高鳴りを感じていた。

「よか話ができた。菊竹様が、この一件は命を賭《か》けてでも、と言わっしゃった」

菊竹というのは、馬に乗って帰った老侍のことだろう。助左衛門は一安心しているものの、あの年老いた侍がさほど高い位にあるとは元助には思えなかった。第一、高い位にある侍が、老馬に跨《また》がって江南原をぶらぶら見物し、今夜のように庄屋の家までわざわざ出向いてくるとは考えにくい。

「菊竹様は、跡継ぎ息子を島原の役で亡《な》くされとる」

元助は思わず聞き耳をたてた。

「お前のおやじさんが死に傷を負った戦《いく》さだ。そんこつば知ってあったので、元助を見る眼が違ったろう。お前は父親ば亡くし、菊竹様は跡継ぎ息子を亡くされた。戦さには息子ばやらんで、自分が行っとけばよかったと、二十五年たった今でも、酒がはいると言わっしゃる。わしも最初の子に二歳のとき死なれたが、わしの場合は病い、菊竹様は戦さ。しかも幼な子と、元服後の頼みとする息子じゃ、比べものにならん」

「そのお侍のところは、跡継ぎはもうおらっしゃれんとですか」

「今のところ養子縁組もされとらん。もしものことがあれば、お家断絶じゃろ」

助左衛門がもしものことと言った意味は、元助にも理解できた。あの侍の年齢はもう七十歳に手の届く頃だろう。養子を取らぬうちに病没でもすれば、跡継ぎはなされないままになってしまう。

「わしたち五庄屋がいくら力を合わせても、郡《こおり》奉行様に直々にかけあうこつはできん。仲立ちが必要で、菊竹様なら何とかして下さるじゃろうと平左衛門殿が言ってくれて、今夜の席ば設けてもろうた。重富家の遠縁の者が郡役所に務めておって菊竹様と何かの友誼《ゆうぎ》があったと聞いとる。縁じゃな。今夜、お前が菊竹様と会ったのも縁じゃろ。島原の役が縁になっとる」

老侍と会ったのは今夜が初めてではなく、三回目だと言おうかと元助は思ったが、そのまま口をつぐんだ。

「堰《せき》ば造る話は、郡奉行様は聞き届けて下さるもんでしょうか」代わりに堰について訊いた。

「元助はもう聞いとるか」助左衛門が軽く笑った。「生葉、竹野、山本の三郡をたばねる今の郡奉行は高村権内《たかむらごんない》様だ。四十半ばの働き盛り。そして、わしたちがもうひと方頼みとしているのが、普請《ふしん》奉行の丹羽頼母《にわたのも》様だ。この丹羽様は、あと二、三年で八十に手が届くお年になられる。この方にもしものことがあれば、もうこの計画は日の目を見らんじゃろ」

「そげん力のある奉行様ですか」

「菊竹様の話では、普請奉行としては、日本の五本の指にはいる人らしか。初代春林院（豊氏）様から重用されたのは、まだ三十代の時じゃった。そのあと江戸城の修理、日光の東照宮の修築、日光廟《びょう》の普請ば殿が命ぜられたときも、他国の殿さんが羨《うらや》むほど立派にやりおおせられたらしか。十年ばかり前は、御居城である篠山《ささやま》城の二の丸と三の丸の濠《ほり》と、外廓工事ば仕上げ、翌年には、外廓に橋もかけ、そのまた翌年からは、高良《こうら》大社の社殿と大鳥居も完成させた。元助は、篠山城は見たこつがあるか」

「なかです」

「濠は川のごつ深かし、幅も広か。高良大社の社殿は、川下の方まで行くと、遠目にも見らるる」

「見たこつはあります」

「大鳥居は、ここいらから眺めても大したこつはなかが、下から見上げると、雲を衝《つ》く高さだ。あれだけのものを造営されとるなら、もう間違いなか」

助左衛門は話しながら気持が昂《たかぶ》ってきたのか、声に力がはいる。

「ばってん、川ば堰止める工事は、されたこつがあるとですか」

元助はたまらず訊く。城や社を造るのと、川を相手に工事をするのとでは、川での魚釣りと、山での鉄砲撃ちくらいの違いはあるはずだった。

「十五年くらい前に、宝満《ほうまん》川の堰を造らっしゃったし、三潴《みずま》郡に大荒籠《おおあらご》ば造営されたとは聞いた」

「宝満川ちいうのは、大きな川ですか」

「片瀬のずっと下流で、筑後川に注ぐ支流じゃ。そりゃ、筑後川と比べると、大人と子供くらいの違いがある。大荒籠も堰と比べると、子供だましと等しか」

大荒籠というのは、竹で編んだ籠《かご》に石を詰めて川に沈めるやり方だ。細い川を堰止めるにはもってこいだった。

「丹羽様しかこん仕事を頼める人はおらん、ちいうのが衆目の一致するところ。その丹羽様も高齢じゃけ、何があってもおかしくなか。もし、病いにでも倒れられたら、筑後川は、あと百年か二百年、いや五百年くらい、こんままで暴れ続けるじゃろ。ちいうこつは、江南原の百姓も、ずっと水に恵まれん生活が続く」

元助は助左衛門の話を聞きながら、打桶をする自分の姿を思い浮かべる。ひと口に百年というが、堰ができなければ打桶もそれだけ続く。あと三十年すれば、自分の足腰はもう打桶に耐えられまい。そのとき伊八は生きているはずもないので、誰か相棒がいるはずだ。そうやって百年に、何人打桶をする百姓が必要になるのか。

その計算はもう元助の能力を超えていた。

「それに大きな声じゃ言えんが」

助左衛門が続けた。「上様は、まだ元服前じゃけ、古老たちが実際の政《まつりごと》を取り仕切ってある。初代の春林院様に抜擢《ばってき》された丹羽様が承諾なされば、反対できる家臣はおらん」

「この機を逃したらいかん、ち言うこつですね」

「考えてみると、殿様も、今が一番大切なときかもしれん」

酔いのためか、助左衛門の口はいつもより滑らかだった。「初代春林院様は、もともと丹波の国の福知山六万石じゃった。後に父君の遺領二万石を継承して八万石になった。久留米二十一万石に加増転封になったとが、元和《げんな》六年、今から四十三年前じゃけな。七十代半ばまで長生きされて、ご嫡男《ちゃくなん》の瓊林院（忠頼）様が二代目を継がれた。ばってん、七、八年前じゃったか、参勤交代の船中で、小姓兄弟二人の刃《やいば》に倒れられた。これは大変なこつで、江戸屋敷にも、城代家老のところにもすぐ知らせが届いた」

「そげなこつがあったとですか」

殿様の急死と代替わりは元助も知ってはいたが、死因が殺害だとは初耳だった。

「わしたちが知ったのは、一、二年もあとになってからじゃった。これは不始末には違いないので、大公儀（徳川）にどう伝えたものか、重臣の間で、いろいろ取沙汰《とりざた》されたらしか。単なる病死にするか、何かの事故にするか、ありのままを告げるか、三通りのやり方がある。結局は、そんままを嘘《うそ》いつわりせんで、大公儀に一部始終を申し上げることに落ちついた」

「そげんでしたか」

「元助、やっぱり隠し事はいかん。ほんなこつば、ありのまま言うたんで、老中も、咎《とが》めだてする気が失《う》せたんじゃろ。却《かえ》って同情ば買って、嫡男の頼利様への襲封が、すんなりと認められた。四歳のときじゃった。あのとき世継ぎも生まれとらんかったら、お取り潰《つぶ》しにあっとったはず」

助左衛門はそこで何か考えるように黙った。

「旦那《だんな》様、もし堰ができたら、御家の誉れになるとじゃなかでしょうか」元助は感じたままを口にする。

「そげんも言えるが、逆に、もしうまくいかなかったら、それこそわしたちが責めらるるじゃろ。わしたち五庄屋がのう。しかしわしは、こうやって江南原に立って、田畑の間を滔々《とうとう》と流れる水音を聞きたかとよ」

覚悟を決めたような助左衛門の声に、元助はかぶりを振る。

「堰は立派に完成します。せんはずがなかです」

元助は言って何度も頷《うなず》いたが、その堰がどういうものかは、まだ皆目想像できなかった。

六　扱箸《こぎばし》

稲の刈り取られた田が、どこか肩の荷をおろしたように村の周囲に広がっている。元助たちのいる土手からも、束にされて田の上に寝かせられている稲の出来具合が分かった。稲束の先の膨らみは例年よりも細く、色も黄金色ではなく、どこか白味がかっている。

「今年は例年の六、七分の出来ばい」

伊八が言った。その声の沈み方は、まるで自分たちの打桶《うちおけ》がまずかったのを詫《わ》びているようだった。

しかし稲の不出来の原因は、五月の大雨だったのは間違いない。植えたばかりの苗が水浸しになり、勢いをなくしたのだ。

稲や麦、その他の作物の出来不出来は、伊八に言わせると、打桶にかかっている。しかし五年間ここに立って水を汲《く》み上げていると、それが大袈裟《おおげさ》だと今の元助には分かる。打桶が果たしている役割は、雨降りをほんの少し補うだけなのだ。雨が降れば田畑は潤《うるお》い、溝の水の流れも深くなる。雨の恵みを十とすれば、打桶の役割など一にも満たないのではないだろうか。

とはいえ、この頃になって元助は違うようにも考える。日の出から、日没まで、土手の上で打桶をしている二人の姿を見て、村の百姓たちはなにがしかの励ましを受けているのではないだろうか。村人が朝餉《あさげ》の前に畑に出ても、筑後川の方を眺めると、そこにはもう、伊八と元助が働く姿がある。日が暮れ、帰ろうとしてやはり北を見やると、まだ二人が打桶を続けている。たとえ溝を流れる水の勢いが小さくとも、村人たちは落胆せずに朝は畑に出、夕方は家に帰って行けるのではないだろうか。

オイッサ、エットナ、オイッサ、エットナ。

力を抜きかけた元助を奮いたたせるように、伊八が声を張り上げた。オイッサ、エットナ。元助も気合を入れて綱を引き上げる。

土手に最も近い家の庭では、一家が総出になって仕事をしていた。話し声までは聞こえないが、子供たちが走り回る声は途切れ途切れに届く。

庭に敷いた莚《むしろ》の上に坐《すわ》っているのは、三五郎夫婦と両親の四人で、稲を扱《こ》いでいた。稲束を運んでくるのは二人の息子で、扱ぎ終えた稲を片づけるのは娘のほうだ。一番下の女の子は、まだ三歳になったばかりなので、兄弟たちの後ろをよちよちついて歩くだけだった。

「元助、あの稲扱ぎと、こん打桶はどっちがよかか」

三五郎の家をちらりと見やって伊八が訊《き》いた。どちらがくたびれるかという意味に違いなかった。

「あげなこまか仕事は、自分には向かんです」

元助も、夜なべに扱箸を手伝ったことがあるが、正直なところ苦痛だった。これは女の仕事だと思った。

「昔は、麦も扱箸でこいどったが、千歯扱ぎができて、楽になった」

「千歯扱ぎなら、苦にならんです」

元助は即座に返事をする。尖《とが》った竹を櫛《くし》のように並べた台に、麦束を打ちつけて、程良い力で引く。それを裏表左右と四度繰り返せば、麦は穂先からほぼ落ちてしまう。重かった麦束もすぐに軽くなり、放り投げるとき、一丁上がりと声さえ出したくなる。

逆に扱箸ときたら、よほど要領よくやらないと、籾《もみ》は稲の穂先から落ちない。辛気くさい仕事だった。

「稲の千歯扱ぎは、でけんとですか」

「お前も一度やってみるとよか。麦の千歯扱ぎに稲を打ちつけても、素通りする。粒の大きさが違うけんな」

確かにそれはそうだった。千歯扱ぎの竹の歯を細く、その隙間《すきま》も狭くすればいいのだろうが、それだと竹の歯がこぼれてしまう。元助は三五郎の家の庭を眺めやり、よく根気が続くものだと感心する。

権がひと声ふた声吠《ほ》える。近くで寝そべっていたはずだが、いつの間にか立って、東の方に顔を向けていた。土手下の道を二頭の馬が、ゆっくりこちらに向かっている。陣笠《じんがさ》と二本差からして、乗っているのは侍だった。

「こげなとこまで、何しに来たとやろ」打桶の手は休めないで、伊八が呟《つぶや》く。

「上見《うわみ》ですかね」

「上見なら、稲刈りの前にせんと」

稲の出来が悪いとき、役人が来て、年貢《ねんぐ》の控除高を決めることがあった。しかし今年、控除があるという噂《うわさ》はまだない。

再び権が吠えたのも、侍たちがまっすぐ土手に近づいて来たからだ。

「こら、吠えたらいかん」

元助が怒鳴って、権がこちらに寄って来る。

土手下で馬が止まる。侍のうちひとりは、何度も見かけた菊竹という老侍だった。

陣笠をかぶっているので分からなかったのだ。

伊八が打桶をやめ、元助に目配せして土手下に降りかける。

「そんままでよか」

老侍が手で制し、馬から降り、一緒に土手を登って来た。

「やっぱりやっとったか」

老侍は元助の顔を見て笑った。「続けてくれんか、郡《こおり》奉行様に打桶がどげなものか、見ていただく」

「へっ」

伊八が腰を伸ばし、綱を手にする。元助と息を合わせ、桶を投げ下ろす。うまく桶が傾き、たっぷり水がはいったところで、一気に引き上げる。さすがに掛け声を発するのははばかられた。

水口に桶をひっくり返したあと、また川の方に身体《からだ》の向きを変え、打桶を繰り返した。

その動きを、体格の良い陣笠の侍がじっと眺めた。郡奉行を見るのは元助も初めてだったが、あたりを圧するような威厳を感じた。しかしこともあろうに、権が奉行の足元に近づき、草履の臭《にお》いをかぎ始める。元助は横目で見ながら、気が気でならなかった。

「もうよかろう」

老侍が言ったので、二人は打桶を脇《わき》に置き、ひざまずく。

そのあと元助の頭の上で、郡奉行の太い声が響いた。しかし何を訊かれたのか元助には分からない。隣の伊八も同じらしく、さらに頭を下げるだけだ。

「奉行様は、お前たちは何どきから何どきまで、この打桶をやっておるか、訊かれとる」老侍が言った。

「へっ。日の出から巳《み》の刻過ぎまでと、未《ひつじ》の刻前から日の入りまでです」

伊八が答えたので元助は胸を撫《な》でおろす。これで自分は黙っていられそうだった。

「冬も夏も、毎日、ここに出るのか」

今度は何を訊かれたのか、元助も分かった。

「へ、雨の日と大水のあとには、出ません」またしても伊八が答えてくれた。

「そなたは何年、これをやっているか」

「へ、かれこれ四十年になります」

「四十年」

しばらく間があった。あまりの年月に郡奉行は驚いたようだった。

「お前は」

また声がしたが、元助は咄嗟《とつさ》に声が出ない。脇にいる伊八が横眼で睨《にら》みつける。

「へ、たった五年でございます」

「見たところ、お前は足が悪そうじゃが、よう働けるのう」

思いがけない言葉に、元助は何と答えていいか分からない。

「相棒として、よう働いてくれとります」伊八が初めて顔を上げて答えた。

「この者の父親は、島原の役に人足として召し出され、命を落としとります。高田村の庄屋から聞き及んでいます」老侍が言い添える。

「島原の役」

奉行が虚をつかれたように絶句し、しばらくして言葉を継いだ。「そうすると、父親の顔も覚えとらんじゃろう」

訊かれたのか、ただそう言われただけなのか、元助は判別がつかない。

「元助は、ちょうど母親の腹の中にはいっとったもんで、父親の顔は知りまっせん」

伊八がかしこまって答えている間、元助は奉行の草履と足袋をなめている権に眼がいく。足蹴《あしげ》にされるくらいならいいが、一刀両断にされてはたまったものではない。

「父親も村のために死に、お前も村のために水汲みに命ば捧《ささ》げとるわけだ」

奉行は言い、足元を見やった。「この犬も水汲みの手伝いか」

「へ、たいてい一緒です」伊八が応じる。

「名前は」

「権です」元助が答え、奉行の足元ににじり寄り、犬をひき離そうとした。

「権か。こりゃ、不思議な縁」

奉行が高笑いをしたので、元助と伊八はさらにかしこまるしかない。「わしの名は権内。屋敷でも雌犬を飼っとるので、草履に臭いがついとるのじゃろ。権は雄じゃな」

「へ、雄犬です」元助は犬をかかえ寄せる。

「せいぜい可愛《かわい》がってやれ」また奉行が笑う。

「へっ」伊八も元助も地面に這《は》いつくばる。

「邪魔したな、打桶ば続けてよか」老侍が言った。

元助は権を放し、桶を手にする。土手下に投げ下ろした。

侍二人はそのまま川上の方に歩き、地図のようなものを広げた。権はもうその足元にいた。呼ぼうにも、「権」と口にするのは郡奉行の手前はばかられ、元助は諦《あきら》める。

オイッサ、エットナ。オイッサ、エットナ。

伊八と調子を合わせ、桶を引き上げる。小休止をしていたせいか、腕と腰にも力がはいった。

侍二人が土手を降り、馬のところに戻るのを、元助はちらりちらりと眺める。権は奉行が気に入ったらしく、まだ傍から離れない。しかし馬に跨《また》がったあとは、さすがに追うのをやめた。

馬上の二人が、合図をするように手を上げたので、元助と伊八は深々と腰を折った。

「くたびれた。打桶十日分くらい、くたびれた」

伊八がへたり込む。「御奉行様と口ばきくなんて、喉《のど》が詰まるかと思った」

「いえ、堂々とされとりました」

「馬鹿《ばか》、お前が答えんから、わしが口ばきかんといかんごとなってしもうた」

「御奉行様の名は、権内だったとですね」

「高村権内ち言わっしゃった」

「権の名前ば、変えんといかんですね」

「今さらそれはでけん。権が承知せんじゃろ。御奉行様と権を近づけなきゃ、すむこつたい。しかし、こげなこつになるとは」

権が土手を上がって来たのを、伊八が呼び寄せる。「お前、切られんでよかったのう」

伊八と元助の心配をよそに、権は土手上に寝そべって大欠伸《あくび》をしている。

「やっぱ、堰をどこに造るか、調べに来たとでっしょか」

「絵図面も持っとったろ。下見に来たのは確か」

「いよいよ、始まるとですか」

伊八は立ち上がり、綱をたぐる。元助もならった。

「打桶のこつば、根掘り葉掘り訊かれたつも、堰ができれば、こん仕事もなくなるからじゃろ。わしたちの代で、終わりになる」

「信じられんです」

元助は言い、桶を投げ下ろす。「堰造りは、いつ頃から始めるとですか」

「大水の心配のなか時期じゃろ。水が少なかとは、冬から春にかけて」

「そんなら、もうすぐですかね」

「分からん。早いにこしたことはなかろ。もたもたしとると、こげな大きか事業には必ず横槍《よこやり》がはいる」

「反対すっ人も、おるとですか」

元助はびっくりする。堰ができて喜ばない村人など、いるはずがない。

「堰を造ったら、水を引かんといかん。今みたいに、ちょろちょろと水が流れる溝じゃ、とても間に合わん。溝ば今の四、五倍に広げな、話にならん。そうすると、田畑を削らんといかんようになる」

「ばってん、広がった溝には水が流れとるけ、得するじゃなかですか」

「まともに考えるとそげんじゃけど、得するほうは忘れて、損するところばかり気にする人間が必ずおる」

伊八は綱をたぐり寄せ、桶を引っくり返す。「それに、新しか水路のひき具合も、すんなりとはいかんじゃろ。水路から離れた所の百姓は、おれの知ったこつかと尻《しり》ば向けよう」

「そげん、どの村もまんべんなく水が通るちいうわけにはいかんですよ」

「実際は、水路から遠か所の百姓でも、損ばするこつはなかとよ。水は高い田から低い田に必ず流れて行く。ばってん、江南原の百姓たちは、水には限りがあると思っとるけ、高い所で水ば使うと、低い所では水が減るもんと信じとる。水がふんだんにありゃ、そげなことにはならんとに」

やっかいなことだと言わんばかりに、伊八は勢いよく桶を投げ落とす。

オイッサ、エットナ、オイッサ、エットナ。

元助の頭のなかで、堰と溝がようやく形をつくりはじめる。細かいところはどうなっているのか分からないものの、堰止められて、溢《あふ》れた水が、広くなった溝に流れ込み、いつでも溝の水は取り放題になるのだ。

しかし、と元助ははたと思い当たる。まだひとつ解《げ》せないことがあった。

「その堰造りと、溝掘りは、誰がするとですか」

「そりゃ、このあたりの村ん者たい。他に人足に出る者が、おるはずがなか」

「堰ば思い立ったのは、五つの村の庄屋ですけん、そこの百姓が出るとでしょうか」

「五ヵ村の百姓じゃ、人数が知れとる。堰がでけて、溝に水がたっぷり流れれば、江南原のほとんどの村が助かる。どの村からも人足が出て当然じゃろ。もちろん、五庄屋の村が、先に立って働かにゃならん」

「その間、畑はどげんなるとですか」

「女子供でやるしかなか。少なくとも、百姓が一番手がすいとる時期に工事ばせんといかん」

「ちいうと、十二月から春先にかけてですか」

「田植えの時期までに終わらんと、大変なこつになる」

「そんならやっぱ、急がんといかんですね」

元助は首を曲げて、筑後川の川上を見やった。悠々と流れるこの大河を堰止める工事が、そんなに短期間のうちにできるだろうか。

オイッサ、エットナ。

打桶を水口にこぼしたあと、江南原の村々と田畑にも眼をやる。工事は堰だけではすまない。水を流すための溝も掘らねばならない。それがたった三ヵ月くらいで終わるだろうか。

しかも、もう冬はそこまで来ている。この二、三ヵ月で、大工事に取りかかるかどうかの決定が下されるとは考えにくい。

やはり、この打桶はあと何年かは続けなければならないのではないか。元助にはそう思えた。

オイッサ、エットナ、オイッサ、エットナ。

伊八も何か考えるような顔つきで、掛け声を上げる。自分と同じように、見通しの暗さをかみしめているのかもしれなかった。

第二章

水《すい》 流《りゆう》

一　逆嘆願

「糸丸村《いとまる》の庄屋どんが来らっしゃったです」ちよが襖《ふすま》の奥から告げたとき、助左衛門は書見台に広げた絵図面に見入っていた。

「藤兵衛殿が」

助左衛門は腰を浮かして、板襖を開けたちよに訊《き》き直した。「ひとりでか」

「おひとりです」

「座敷に通して、お茶でもさしあげなさい。すぐ行くけん」

助左衛門は川絵図を畳み、藤兵衛の訪問の意図を思案した。日頃は行き来のない藤兵衛がわざわざ来たのは、どこからか川堰《かわせき》について聞きつけたからだろう。糸丸村は、堰を造る予定にしている場所に近い四ヵ村のうちのひとつだった。

しかも藤兵衛は、生葉郡の庄屋の中でも最長老の部類にはいる。ひとりでやって来たのは、事情を直接問いただすためか、あるいは反対するためか。助左衛門は後者でないことを願いながら立ち上がった。

座敷の襖の前で咳払《せきばら》いをし、静かに開けた。床の間を背にして、藤兵衛がちょこんと坐《すわ》り、茶をすすっていた。

「わざわざ遠か所を」

平伏しながら、助左衛門は自分の思惑がはずれていたのに気がつく。白髪頭の藤兵衛は上眼づかいに鋭くこちらを見やっていた。

「日頃は、ご無沙汰《ぶさた》ばっかりしとります。藤兵衛殿には元気なご様子で、安心しました」

助左衛門は最大限の敬意をこめて挨拶《あいさつ》した。

「突然邪魔して、ほんにすまんこつ」

藤兵衛がぼそぼそと応じる。「ばってん、ここは黙っておられんで、来てみた。あんたに直接言うておかにゃならんと思うて」

「川堰のこつですか」肚《はら》に力を入れて訊く。

「わしは噂《うわさ》には聞いとったが、じかに耳に入れられたのは、川筋見廻役からじゃった。

こげな計画があって、郡《こおり》奉行様も動かれとるので、そん心づもりしとくように、という話じゃった。こりゃ、話の段取りが、初めから間違っとる。そうじゃなかね」

猫背で、目をしょぼつかせながらも、藤兵衛の目の光にだけは強いものがあった。

「頃合いを見計らって、いずれは私ども五庄屋が、各村の庄屋どんに挨拶に行かにゃならんとは、考えとりました」

「どうしてそれば先にされんかったとですか」怒りを抑えた声だった。

「四十ある村を、ひとつひとつ回ったところで、考えが一致するもんじゃありまっせん。ある村は、はなから反対ばするでっしょし、ある村はいろいろ条件ばつけてくるじゃろし、また別な村はどっちつかずの返事ばして、らちがあかんと思ったとです」

助左衛門はあくまでもへりくだって答える。「そげなばらばらな考えばひとつにまとめ上げるには、一年どころか三年、五年、いや十年でも片づかんかもしれません。それよりは、自分たちだけでも不退転の心意気を示したほうがよかと、思ったとです」

「それが五庄屋じゃな」

「清宗村の本松平右衛門殿、菅村の猪山作之丞殿、今竹村の重富平左衛門殿、夏梅村の栗林《くりばやし》次兵衛殿、それに私の五人です」

「自分たちだけで名を上げとうなったとじゃろと、悪口を言うとる者も多か」

「覚悟のうえです。誰かが言い出さんこつには、物事は先に進まんですけん」

「ばってん、堰や水路ば造るのに、その五ヵ村の百姓たちだけじゃ、所詮《しょせん》間に合わんじゃろ」

「そげんです。出夫させるとしても、人足は少なくとも一日五百から千人は要すると見込んどります。五ヵ村だけだと、ひとつの村で百人二百人は出さんといかんごつなります。無理ちいうもんです」

「そこが浅慮たい。根回しもせんで、まるで戦場一番乗りを目ざすごと、五庄屋だけで突っ走った。その首謀者があんたということになっとる」

藤兵衛は背を丸めたまま、顔だけはまっすぐにして助左衛門を睨《にら》みつけた。

「浅知恵だったとかもしれんです」

助左衛門は素直に非を認める。「これからでも、頭を下げて回ろうと思っとります」

「もう遅かろ。たいていの庄屋たちが臍《へそ》を曲げてしまっとる」

藤兵衛は重々しく首を振った。「庄屋ひとりひとりからの賛同を得るより、お上から命令を下してもらえば、事は簡単になる。そげん、あんたたちは思ったとじゃなかね。郡奉行から普請《ふしん》奉行まで話が行き、お上の決定となると、庄屋たちはもう文句ば言えん。従うしかなか」

「滅相もなかです。そげなことは、私ども五人のうち誰ひとりとして考えとりません。逆に、二十ヵ村か三十ヵ村がまとまった意見ば郡奉行に持っていけば、痛くもなか腹ば探られやせんかと恐れたとです。先の島原の役以来、百姓衆が集うことは、いらぬ嫌疑をかきたてるようになっとります。そうなると、どげん理屈ば並べても、取り上げてもらえまっせん」

「そりゃ、あんたらの屁理屈《へりくつ》」

藤兵衛は鼻の先を上げ、助左衛門を見下すようにして続けた。

「もうひとつ、筑後川を堰止めて水を引くち言うても、大水が出たら、どげんなる」

「大水ですか」

「それでなくても、あの大河じゃけ、堰止められて溢《あふ》れた水が土手を越えるか、土手を断ち切るかもしれん」

「溢れた水は、そんまま堰の上を流れるようになっとります。普段の水位は、堰の上流で二間ほど上がりますが、大水となれば堰は水底に沈むので、土手に余計な力は加わりません。もちろん、堰のすぐ上流の土手は、少し高くしとかねばなりまっせんが」

「水の取り込み口から大水が溢れて、水路ば伝って来て、わしらの村が水浸しになることもあるじゃろ。一番厄難《やくなん》を受けるのは、堰に近か村たい。あんたたち五庄屋の村は堰から遠かとこにあるけ、流さるる心配はなかろ」

藤兵衛は、どうだと言わんばかりに助左衛門を睨み上げる。「この間の巨瀬川の氾《はん》濫《らん》がそうじゃったろ。五庄屋のうち作之丞どんの菅村も、鉄砲水で何棟か家が流され、田畑にも砂がはいったはず。昔から荒れ川と言われとった筑後川じゃ。堰ができると、水路が鉄砲川に豹変《ひょうへん》せんとも限らん。そうなると、災いは巨瀬川の比じゃなか。まさかわしたちにも、自分たちと同じ目にあわせてやろうという魂胆があるとは思いとうなかが」

「大水のときは、取り込み口の水門を閉めますけん、水ははいり込みまっせん」

「その水門が突き破らるる。土で固めた土手とは違う」

「水門は命綱ですけん、頑丈に造ります」助左衛門は口を尖《とが》らす。

「頭んなかでは頑丈にできとるかもしれんがな」

「それに堰の近くの水門から出た水は、水路ば通って、いったん隈上川《くまのうえがわ》の下流に流れ込むようになっとります。仮に水が溢れても、出口がそこになりますけん、鉄砲水は起こるはずはなかです」

計画では、隈上川が筑後川に注ぐ少し手前で小さな堰を設け、水深をかさ上げした脇《わき》から新たな水路が出て、そこにも水門を造ることになっている。いわば、水路は隈上川の下流を横切ることになるので、水のはけ口は充分に保証されている。そのうえ二つの水門があり、藤兵衛の心配は杞憂《きゆう》といえた。

しかしその仕組みを丁重に説明したところで、頭のなかの考えに過ぎないと言われれば、返す言葉もない。

沈黙が訪れた。こうした横槍《よこやり》は、前以《まえも》って予期していた事態ではあった。助左衛門は、藤兵衛の腹立ちの原因を沈黙のなかで整理してみる。反対の理由の第一は、堰の計画が頭越しに郡奉行との間で進められたことに対する反発だ。第二は、堰や水門、水路の造り方が充分に呑《の》み込めていない点で、これは目の前に坐っている小柄で高齢な糸丸村の庄屋を責めるわけにはいかない。

「ともかく、わしは堰造りは承知せんし、わしの村を水路が通るのも許さん」

藤兵衛は最後の茶を飲み干して言い、立ち上がる。「反対するのはわしだけじゃなか。他の村の庄屋も、わしと同じ考えじゃからな」

歩きかけた藤兵衛に向かって、助左衛門は坐ったまま呼びかけた。

「藤兵衛殿」

助左衛門は力をこめる。「そんなら、この江南原にある村々は、今のままでよかと思わっしゃるとですか。北は筑紫次郎という大河、南には巨瀬川がありながら、いつも日照りに泣いとる田畑を、こんままにしとくとですか。田と畑が泣いとるちいうことは、百姓が泣いとることです。ここの土地に生まれた百姓は、何代も前から、泣きながら田畑に出とるとです。そしてこんままなら、あと何代か何十代かあとまで、百姓は泣き続けにゃならんとです」

一気にしゃべったので、助左衛門は肩で息をついた。藤兵衛は後ろを振り向きはしなかったが、前にも進まなかった。助左衛門はその曲がった背中に向かい、呟《つぶや》くように言いかけた。

「そりゃあ、段取りが悪かったかもしれんです。ばってん、この土地に代々流れた百姓の汗と涙に比べると、段取りなぞは小さかもんです。そして藤兵衛殿が懸念《けねん》される大水も、恐れて縮こまっていては、何もできまっせん。誰かが今やらんことには、この先、江南原は変わりません。変わらないどころか、先細りになっていきます。

私が父親の跡を継いで庄屋になってから、三十年になります。その間に、捨子や間引き、逃散《ちょうさん》、未進者はもちろんのこと、姥捨《うばす》てまでも見とります。父親は若死にしましたが、床についたとき、この高田村を見捨てちゃならん、水から見放されとる土地じゃが、すぐ目と鼻の先に筑後川が流れとる。いつかあれを味方につけろ、と言い残しました。父親の頭のなかには、もう堰があったとです」

「あんたのおやじさんは、わしも知っとる。あんたと違うて、太っ腹で、人づきあいもよかったとよ」

助左衛門の訴えも、藤兵衛の耳には大半が素通りしたようだった。そう言い残して襖を引いた。

襖の外にちよがひざまずいていた。藤兵衛を見上げ「お帰りでございますか。遠か所を、ほんにありがとうございました」と頭を下げた。

言い終えて、助左衛門と眼が合う。ちよの目が潤《うる》んでいた。おそらく襖の陰で、二人のやりとりを聞いていたのに違いない。

奥に引っ込んだちよは、風呂敷《ふろしき》包みを手にして戻って来る。

「三田様、わざわざお出《い》でいただき、ありがとうございました。これはほんのお礼のしるしです」

藤兵衛は、ちよがさし出した風呂敷包みを一瞥《いちべつ》したものの受け取らずに、そのまま框《かまち》の方に向かった。

「元助はおらんか」

助左衛門は下女のひとりに訊いた。「打桶《うちおけ》から戻っとったら、ちょっとここに呼んでこい」

藤兵衛が玄関の外に出たとき、助左衛門は深々と頭を下げた。

「突然邪魔して、かたじけない」藤兵衛はそれだけ言うとすたすたと歩き出す。

元助が納屋《なや》から走り出て来たのを、助左衛門は手招きした。

「庄屋殿を糸丸村までお送り申し上げろ。それから、これは庄屋殿の奥方へのお土産だから、確かに届けるように。決して粗相があっちゃならん」

風呂敷包みを元助に持たせる。

元助が腰をかがめ、藤兵衛を先達するように歩きだす。右足をひきずる裸足《はだし》の男に、藤兵衛はいささか驚いた様子だった。

助左衛門とちよは、二人が角を曲がって見えなくなるまで、門の外で見送った。

「三田様が反対されるとは、思いもよらんこつでした」

ちよが助左衛門の顔色をうかがうように言う。

「どこからか反対が出るとは思っとったが、よりによって藤兵衛殿とは、考えもせんかった」助左衛門も思案顔になる。「何を手土産に持たせたとか」

「雀鮓《すずめずし》です」

「そりゃ珍しがらるるじゃろ。鮒《ふな》がようあったな」

「今朝、長吉が筑後川から獲《と》って来とったとです。うちで食べるつもりでしたが、三田様がちょうど見えたので、手土産によかと思いまして」

雀鮓はちよの自慢料理といっていい。獲ったばかりの鮒をさばいて酢でしめ、腹に飯を詰めたものだ。雀の形をしていて、見た目にも珍しかった。藤兵衛自身が受け取らなくても、元助がさし出せば奥方が貰《もら》ってくれるはずだ。

助左衛門は部屋に戻り、改めて絵図面を広げた。図面は何枚描き写したか分からない。上の方に、東から西に流れる筑後川のうねりを描き、下段に巨瀬川と耳納山を描けば、その間に広がる江南原が水に見放された村々だ。耳納山と筑後川が最も接近する所には、江南原を断ち切るように、南から北へ細流の隈上川が筑後川に流れ込む。その隈上川も、田畑を縫うようにして網目模様に延びる溝も、実地検分したとおりに忠実に描き入れていた。

助左衛門はもう一枚の紙を取り出す。墨で描いた部分は、他の地図を写したものなので全く同じだが、堰と取水口の水門、さらにそこから延びる新たな水路を朱で描き重ねていた。

藤兵衛が察していたとおり、堰の位置は筑後川の上流に設けるつもりだった。筑後川は袋野《ふくろの》あたりで大きく蛇行したあと、少し下流の荒瀬《あらせ》から比較的まっすぐでゆるやかな流れになる。さらに原口村まで下ると水深がいくらか浅くなり、古川村《ふるかわ》に至るあたりで再び弓なりに曲がり始める。

堰《せき》を設ける地点は、古川村の少し上流、大石村の北側が最適だと目論《もくろ》んでいた。川幅は広いが、水深はやや浅くなっている。堰には舟通しを設けるのが前提なので、川幅が狭いと不都合が生じる。加えて流れが浅いほうが、短期間で工事を終えやすかった。

堰止めた水を導くため、土手を広げて新たな取水路を造り、その先に水門を設置する。水門をくぐった水は新しく作った水路を通って大石村を抜け、ついで糸丸村を通過し、長野村《ながの》に至る予定だ。そこで隈上川に合流し、さらに、反対岸から西に出る水路に流れ込む。西の水路に造られたもうひとつの水門をくぐった水はそのまま進み、長野村の西にある角間村《かくま》で、北側と南側に分岐する。北水路のほうは高田村や夏梅村の田畑を潤《うるお》す。南水路は今竹、菅、清宗のそれぞれの村を通過する予定になっていた。

改めて絵図面に目を近づけると、水路が通り抜けなければならない村の数に今さらながらに驚かされる。生葉郡だけでも四十ヵ村、竹野郡で四、五十ヵ村、山本郡で五、六ヵ村、合計で九十から百ヵ村はある。高田、夏梅、今竹、菅、清宗の五村は、江南原の中央に、北から南に並んでいるに過ぎない。確かに藤兵衛が指摘したように、郡役所に申し出る前に、各村の庄屋に根回しをしておくべきだったのかもしれない。しかしこうした交渉事は足並みが揃《そろ》うまで、何年もかかるのが普通だった。まして短期間で百ヵ村をひとつにまとめ上げるなど、不可能事に近い。だから何よりも先に郡役所の力を借りようとしたのは事実だった。郡奉行が動けば、村々の反対も起こらず、たとえ起こったとしても説得は容易だと判断していたのだ。

もうひとつ、藤兵衛が反対の理由に挙げた大水の恐れは、全くの杞憂といってよかった。頭のなかだけの計算と言われればそれまでだが、水路と隈上川を合流させる点こそ、考えに考えた末の水路の仕組みであり、大水に対しても絶対の自信があった。東西に走る水路と、南から北に向けて流れる隈上川は、筑後川への出口の二町ほど手前の長野村付近でちょうど十字路のように合流する。その下流に五、六間幅で一間弱の高さを持つ堰を設けるので、その交叉路《こうさろ》で水量は調節されるのだ。水かさが増せば堰を越えて水は筑後川に注ぐ。普段は、水路が隈上川を横切った先にある長野水門で、取水する流れの量を自在に調節できた。

「清宗村の平右衛門殿のところに行ってくる」

心配気に顔を出したちよに言った。「元助が戻って来たら、どんな按配《あんばい》だったか聞いとってくれ。私も小いっときしたら帰る」

「長吉でも、お供につけましょうか」

「必要なか。長吉も牛馬の世話で忙しかろ」

草履をはき、庭に出た。納屋の前の日だまりで、伊八が縄を編んでいた。その脇で権が気持良さそうに目を閉じている。

「精が出るのう」

「出かけらるるとですか」伊八が手を休めて顔を上げた。

「清宗村の庄屋どんに会いに行く」

「さっき見えとったのは、糸丸村の庄屋殿じゃなかですか」伊八が顔を曇らせた。

「堰造りに反対じゃと言って来らっしゃった」

伊八は少し思案顔になった。

「旦那《だんな》様、めげんで下さい。新しかこつばするときは、必ず反対があるもんですけん」

伊八は上眼づかいに助左衛門を見た。「この間、御奉行様と土手で会いました」

「高村様とか」

「もうひとりよく見かける年寄りのお侍と一緒でした」

「そりゃ下奉行の菊竹源三衛門《げんざえもん》様じゃ」

「御奉行様は、打桶がどげなものか、実際見るのは初めてだったごたるです」

「打桶ば目の前でして見せたとか」助左衛門が驚く。

「元助と二人で、やって見せました。オイッサ、エットナ、オイッサ、エットナです」

「そいで」助左衛門が目を細める。

「打桶ば何年やっとるか訊《き》かれたので、四十年と答えたです。足の悪か元助が五年も続けとるのにも、びっくりされとったようです。権のやつが御奉行様の足ばぺろぺろなめて、こっちは、はらはらもんでした」

「権が」

「御奉行様はわしと同じ名前かと、笑っとられました」

「そげなこつか」助左衛門は思わず口元をゆるめる。「権内様という名前じゃけんな」

「打桶ば見たあと、川上の方に行き、絵図面のようなものば見ておられました。じゃけん、堰造りは、もう御奉行様の頭にはいっとられると思います」

「そうか」

伊八から見送られて、助左衛門は門を出る。気持が楽になっていた。そもそも大事業を起こすのに、多少の波風が立たないほうがおかしいのだ。気落ちなどしてはおられない。

村中の道を通るとき、どうしても眼がいくのが作次の家だった。猿田彦《さるたひこ》様の石碑の後ろにあって、傾いた藁《わら》屋根の家にはつっかい棒がしてある。眼にするたび、傾き加減がひどくなっているような気がしてならない。「うちの婆《ばあ》さんと同じで、そう簡単には倒れまっせん」と、当の作次は全く気にしていなかった。

その作次の母親、ときが庭で堆肥《たいひ》を踏んでいた。孫三人はその周りで鶏を追いかけて遊んでいる。

「精が出ますの」

目が合って助左衛門は声をかける。ときは歯が何本か残った口を開けて、笑った。

「まだ働けますけ。ありがたかこつです」

「爺《じい》さんの具合はどげんかな」

「寝ついとります」

ときは家の方に顔を巡らす。亭主の作造が床についてもう半年にはなる。食が細くなり咳込《せきこ》んでばかりいるというが、薬を飲んでいるという話は聞かない。

「元気になるとよかがのう」

「そげんです」

ときは答えたものの、半ば諦《あきら》めている様子が顔に出ていた。ぼろ同然の着物から突き出た細い足で、堆肥をかきまぜる。

堆肥の臭《にお》いをかぎ、鶏の鳴き声を聞きながら、助左衛門は角を曲がった。

村の貧しさは、家の小ささと屋根を見ればもう明らかだった。大庄屋のある吉井までは年に四、五度、久留米の城下までは三、四年に一度行く機会があるが、どの村を通っても、たいていはぶ厚い藁《わらぶ》葺き屋根と頑丈な土壁で家は作られ、生垣も手入れが行き届いていた。江南原の村々の家は、たとえ藁葺き屋根であっても薄く、ほとんど茅《かやぶ》葺きか草葺きであり、壁も板壁か茅壁、もしくは藁壁だった。

着ている物も粗末だ。子供は真冬以外は半裸で歩き回り、大人たちの着物にも幾重にもつぎが当てられている。

この質素な身なりは、村人だけでなく庄屋についてもいえることだった。毎年正月二日には、近在の村の庄屋が十数人ずつ連れ立って、吉井町の大庄屋田代又左衛門宅を訪れる。そのときばかりは助左衛門も麻の羽織、袴《はかま》を身につけるが、大庄屋に集まった各庄屋の身なりを見れば、村の困窮度が大方判別できた。

特に目立つのが、菅村の猪山作之丞だった。寸詰まりの袴の裾《すそ》にはいくつもつぎが当てられ、足袋の裏も別の布で穴が塞《ふさ》がれている。羽織は、何度も張り直しをしたのだろう、色が褪《あ》せて灰色じみていた。肩に似たような褪色《たいしょく》した布が当てられていたが、さすがに猪山家の家紋である丸に松皮菱《まつかわびし》を覆《おお》い隠す手前で縫い留められていた。

助左衛門は父親がよく口にしていた言葉を思い出す。〈足ることを知るものは富めり〉。出典が何かは父親も言わなかった。おそらく正確なことは自身も知らなかったのではないか。あれは本心だったのか、強がりだったのか、今となっては助左衛門にも知りようがない。

父親は朝と夕方、村中と田畑の畦《あぜ》を歩くのを常とし、それ以外は書きものをしていた。能筆家で文章をつくるのもうまかったようで、先代の大庄屋からは、嘆願書の類《たぐい》をよく任せられていた。〈文は道を貫くの器なり〉と言い、自分の信条としていた。これが仇《あだ》になり、助左衛門のほうは文章を書くのを避けてきた。文字を書き始めると父親の忠告が頭のなかで響き出し、筆を措《お》いてしまった。

しかし跡を継いで庄屋になってからは、父親が座右の銘としていた〈不言の言を聞く〉は努めて守るように心がけた。村人の声なき声を聞くのが、庄屋の務めだという意味に違いなく、父親にならい日に一度は外に出た。

十年くらい前からは、高田村のみならず、土手に沿って太田、橘田《たちばなだ》、溝口、包末《かんすえ》、徳丸《とくまる》、長野、糸丸、大石、原口の各村まで見て廻り、筑後川上流の荒瀬まで足を延ばすようになった。また別な日には、下流を目ざし、早朝に家を出て行徳《ぎょうとく》村や柳瀬《やなせ》村を過ぎ、片瀬まで三里余りの道のりを歩き、帰りは巨瀬川寄りに、唐島《からしま》村、吉田《よしだ》村、下古賀村、上古賀村を通り抜けて戻って来ることもあった。

堰造りを思い立ったのは五、六年前だった。大石村あたりに堰を設けて水門を造り、そこから水を引けば、筑後川と巨瀬川の間にもう一本川を持つのと同じになる。しかもその新しい川は、筑後川や巨瀬川と違って、水門による水流の調節がきく。

しばらくして、水路を二本に分岐させることを考えついた。大石、糸丸の両村を通過した流れは角間村付近で二つに分岐させる。そうすれば、水は北寄りの村々と南寄りの村々を共に潤しながら、西へと駆け抜け、一部は巨瀬川へ、大部分は下流の柳瀬村の西で、筑後川に放流されるのだ。

新しく造るよりも、既存の溝を利用したほうが工事がしやすい。助左衛門はそう考え、以後は、村々の間に網の目のように広がる大小の溝を丹念に調べることにした。

文章は苦手だったが、幸い、絵図を描くのは好きだった。小さい頃から、庭の木を写したり、猫や牛、馬を描いては、父親から誉《ほ》められた。

初めは粗雑だった絵図面も、年を経る毎《ごと》に細かさを増し、最後には紙を継ぎ合わせて巻物にした。出来上がった巻物はほぼ一年毎に新しく描き直し、設けるべき水路をその都度朱でなぞった。

助左衛門が余分に使った金は、この紙の購入費だった。通常、庄屋には、毎年郡《こおり》役所から紙代と墨代が支給される。役所に提出しなければならない諸々の文書を作成するための便宜だが、充分とは言いかねた。書き損じた紙は、裏を使って覚え書き用にしたり、下女たちに命じて水で漉《す》き直させたりしていた。

こと絵図面の巻物については新しい紙を使いたかった。そのために毎年一度は必ず吉井町の紙屋で上質の紙を購入した。ぜいたくと言えばそれが助左衛門の唯一《ゆいいつ》のぜいたくで、ちよも文句を言わなかった。

二年前、その巻物をたずさえて、清宗村まで行った。敬愛する庄屋の本松平右衛門に見せるためだ。

縁側で、助左衛門は黙ってその巻物を広げた。茶をすすっていた平右衛門は身をかがめ、しばらくそれに見入っていたが、湯呑《ゆの》みを床に置いた。

「助左衛門殿。どえらい仕事ば、成し遂げられましたな」

こちらを凝視する平右衛門の目が潤《うる》んでいた。「あなたが供も連れんで、このあたりの村々をよく歩いとるとは小耳にはさんどったが、こういうことだったとですか。こげな美しか絵図面は見たのも初めてです」

図面の出来映えを誉められるよりも、趣旨を分かってくれた人間がひとり、目の前に現れたことのほうが嬉《うれ》しかった。

「私どもが生きとるうちに、これば造りまっしょ。五年かかるか十年かかるか、分からんですが、死にもの狂いでやりまっしょ」

平右衛門がいとも簡単に言ってのけたので、驚いたのは助左衛門のほうだった。

「できるでっしょか」

「やるとです。そんためには、何人かが力を合わせんといかんです。少なくとも三人、できれば五、六人。こう決めたと思う者が五人もいれば、もう岩のごと動きません。誰が何ち言うても動きまっせん」

「そげなもんですか」

「そげなもんです。私らが大岩になるとです」

自分より十歳も年上の平右衛門が、力をこめて断言する。その声を助左衛門は心強く聞いた。

「しかしこれは美しか」

平右衛門がまた絵図面に眼を落とす。「よくこげなものができましたな。清宗村の近くの溝はこんとおりです。これば、死んだおやじやじいさまが見とったら、どげん喜んだか。さっそくあした、墓に知らせに行きます。本松平右衛門、どげなこつがあっても命のある限り、高田村の庄屋山下《やました》助左衛門殿ば、盛りたてていくと、墓の前で誓います」

感激のあまり助左衛門が言葉を失っている間に、平右衛門は三人の庄屋の名を口にした。

ひとりは、平右衛門と常日頃親しくしている今竹村の重富平左衛門だった。平左衛門は幼い頃から病弱で、医をよくする平右衛門がいわば主治医のようなものだった。平左衛門の父親は養子で、学識が高く、その一族からは、とりたてられて郡役所の御居間御書院番になった人物も出ていた。郡役所とは近い間柄だった。

ふたり目は当然ながら、菅村の猪山作之丞で、もう何年も前から年貢米《ねんぐまい》減免の嘆願書を郡役所に届けていた。

確かに菅村は、筑後川からも遠く、巨瀬川からも離れ、田畑には細い溝が何本か流れているだけだった。おそらく昔は、人の住まない荒れ果てた亡所だったに違いない。それを何とか耕地にすべく、何代にもわたって灌水《かんすい》をし、曲がりなりにも稲や麦、かぶや大根、豆、あるいは菜種のできる場所に変えてきたのだ。それでも日照りが続くと溝は干上《ひあ》がり、人力による水汲《みずく》みも及ばなくなる。その上、今年がそうであったように、巨瀬川の土手が切れれば鉄砲水がおし寄せて来る。

菅村の石高は他の村と同じなので、年貢にも不足し、他の村から借り入れて納めなければならない。返すときは何分かの利子がつく。助左衛門もかつて作之丞から請《こ》われて貸したことがあった。翌年、利子をとるのは酷だと思い直し、利子の分は返した。羽織袴姿で礼を言いに来た作之丞は、大きな身体《からだ》を折り曲げ、畳に額をつけて、謝意を表した。父親から譲り受けたに違いない羽織と袴は寸足らずで、それが余計不憫《ふびん》でならなかった。

作之丞が何度も郡役所に請願しているのは、不作の年における検見《けみ》だった。もともと年貢は、二段階の計算で決められる。まず田の等級を決め、他方で通年の収穫高を均して平均の収穫高を決定する。そのあと第二段階として全等級合算して平均の収穫高を出す。これがいわゆる撫斗代《ならしとだい》で、一反につき七俵六合と決められていた。この方式によれば、良田を持つ村は年貢を納入しても余剰の米が出る一方、江南原の村々のように悪田しかない所では、余剰米さえ出なくなったり、出ないどころか不足する年に遭遇したりもするのだ。

猪山作之丞はだからこそ、検見によって、不作の年は年貢を減免してもらいたいと、嘆願書を出すのだが、郡役所が首を縦に振ったためしはない。

郡役所がとりあわない理由は、助左衛門にはよく分かる。今年の五月、作之丞が嘆願書をしたためて高田村まで来て、連名を請うたときも応じなかったのもそのためだ。嘆願書を読んで助左衛門は内心で舌を巻いた。簡潔な文章に、真情が溢《あふ》れていて、これこそ、父親が生前よく言っていた〈文は道を貫くの器なり〉の見本だった。作之丞が毎年のように嘆願書を提出するにもかかわらず、庄屋取り潰《つぶ》しの措置にもあわないのは、その文章のゆえではないかと助左衛門は思った。揺るぎない真実が、そこには記されているからだ。

平右衛門が口にした三人目の庄屋は、夏梅村の栗林次兵衛だった。

「次兵衛殿は若かばってん、親父殿の薫陶《くんとう》よろしきば得て、どこか大人の風格がある。どうか、助左衛門殿から直接言っといて下さらんか」

娘婿《むすめむこ》が誉められたのが助左衛門は嬉しかった。

それから四、五日後、助左衛門は平右衛門と連れ立って菅村を訪れ、作之丞の前に絵図面を広げた。作之丞の顔色がみるみる変わっていった。

まず蒼白《そうはく》になり、顔を上げて眼を助左衛門に打ちつけたときは、真赤に紅潮していた。

「よくぞここまで」

あとは絶句し、充血させた目で助左衛門と平右衛門を交互に見やった。「菅村にもちゃんと水路が通っとるじゃなかですか」

「当たり前です。ここいらあたりは、一番水が来《こ》ん所ですけん」助左衛門は答えた。「ありがたいこつです」

作之丞は、二人の前で頭を下げた。「命を投げ出してでも、お伴をさせてもらいます」

大仰な言い方だったが、そこには真心がこもっていた。

その年の秋、助左衛門は作之丞の勧めで、宝満川の堰を見に行った。十数年前に、御原《みはら》郡稲吉《いなよし》村に造成された堰で、指揮をとったのは今もその地位にある丹羽頼母普請《ふしん》奉行であり、何かの参考になると考えたからだ。

江南原から御原郡までは、とても一日では行き着かず、途中、筑前街道の端宿《はじゆく》でひと晩過ごし、翌朝早く旅籠《はたご》を出た。主人に道を訊《き》き、一刻《とき》ほど歩いて目ざす稲吉堰に到着したものの、助左衛門はまず川幅の狭さに落胆した。

宝満川は筑後川の下流の方に注ぎ込んでいるため、助左衛門は勝手に大きな川だと早合点していたのだ。しかし作之丞のほうは目を輝かせて堰まで駆け降り、堰の上を流れ落ちる水を手で掬《すく》った。

「助左衛門殿、こげなとが筑後川にできればよかとですな」

訊かれて助左衛門は返答に窮した。理屈は全くそうだが、規模が違う。筑後川は川幅にして宝満川の十倍、水深も二、三倍はあるだろう。

作之丞は堰から上がると、着ていた物を脱いで、深みに飛び込んだ。九月半ばだったから水は冷たいはずだが、そんなことはものともせずに達者な泳ぎで、水門近くまで行った。

石と木で出来た水門は、一間ほどの幅で、ぶ厚い板を石の溝にさし込んで、水量を調節するようになっている。今は三尺くらい板の上を越えた水が水路の方に流れ込んでいた。

助左衛門が息をのんだのは、水路の先の田畑に眼をやったときだった。黄色く穂を垂れた稲田が一面に広がっている。稲の出来が良いのは、穂の垂れ具合と色で一目瞭然《りようぜん》だった。すぐ手前の畦《あぜ》には豆類も植えつけられ、収穫を待っていた。あちこちの田畑に村人が出て、黒枯れした稲の穂を抜いたり、瓜《うり》や西瓜《すいか》を背負子《しよいこ》に入れたりしていた。土手の上を見ても、水汲みをしている百姓などいない。

「江南原も、こげんなるとよかですな」

濡《ぬ》れた下帯のまま脇《わき》に来て作之丞が言った。「ここいらの村の百姓ができたこつば、私らができんこつはなかです」

助左衛門はまた返事に窮した。奇妙な気持だった。克明な絵図面を描くために村々を歩き回っているときは、堰も水路造りも、さして大した工事には思えなかった。しかしこうやって実際の堰と水路を見、筑後川の大きさと比べると大事業の重みがひしひしと胸に伝わってくる。

自分の迂闊《うかつ》さを内心で恥じながら、それでも助左衛門は矢立《やたて》と綴じ紙を出し、堰の全体や細部、水門の造りなどを描き写した。その間、作之丞は水路の先まで足を運び、田畑がどうやって灌水されているか、見回った。

夜はまた街道筋の旅籠に泊まった。作之丞は床についたあとも、助左衛門の耳元でしゃべり続けた。

「水路の泥をさらえとった年寄りに聞いたとですが、あの稲吉堰ができる前は、あのあたりいつも水不足だったらしかです。水門から水を引くようになって、収穫高は倍になったと言っとりました。助左衛門殿、二倍ですぞ」

助左衛門は暗がりの中で、作之丞が立てた二本の指を見たような気がした。

「ここは慎重に。浮かれてはいかんです」

助左衛門は諌《いさ》め、眠りにはいった。

翌日、村へ戻る途中、助左衛門は作之丞に念をおすのを忘れなかった。

「くれぐれも他言はいかんです。噂《うわさ》だけが先歩きすると、芽が出んうちに踏みにじられるのが常ですけん。こん旅も、堰を見に行ったこつにはなっとりません。高良山と水天宮《すいてんぐう》に祈願に行ったこつにしとります。高良山には豊作と、水天宮には水乞《みずご》いを」

「分かっとります」

作之丞がこのときの返事を固く守ったことは、その後も堰の噂がみじんも出なかった事実から明白だった。

村に帰ると、助左衛門は記憶が薄れないうちに、稲吉堰の見たままを何枚もの紙に描いた。宝満川のうねり具合や土手の高さ、堰の幅や石組みの様子、水門の位置と仕掛けなどを下書きしたあと、巻物に描き残した。それを見た本松平右衛門は、作之丞と同じように顔を紅潮させた。

「助左衛門殿、ようやらっしゃった。この堰を造ったのが丹羽頼母様であれば、事が運ばんはずはなか」

助左衛門が口にした十倍か二十倍という川幅の差にしても、さして気にした風でもない。「水門から取水できる水の量も、当然十倍から二十倍になるち、いうこつです。ありがたかと思わにゃなりまっせん」

作之丞が起草した〈大石長野水道仕建進溝立願書《したてしんこうりつがんしょ》〉に、助左衛門が完成させた絵図面二巻が添えられ、吉井の大庄屋田代又左衛門を通じて郡奉行に提出されたのが半年前だった。

本松平右衛門の家は清宗村の端にあって、茶を生垣にしているため、低い藁《わら》屋根も庭も外から丸見えだった。玄関前には子供が十数人、赤ん坊を抱いた女が三人いて、助左衛門が庭にはいると頭を下げられた。抱かれた赤ん坊が一斉に泣き出す。頭がただれている赤ん坊もおれば、開けた口いっぱいに何かできものが見える赤子もいる。走り回っている子供たちの中には、頭のたむしをかきむしり、血をにじませている子もいれば、蜂《はち》にでも刺されたのか首の根を腫《は》らしている女の子もいた。

助左衛門は日を選ばずに来たことを後悔する。改めて門の大石の前に立てられた竹《たけ》竿《ざお》を眺めた。竿の先に白い布が垂れている。これが、平右衛門が治療のために、半日か一日、時間を割ける目印だった。竿が立っていない日は、庄屋としての本来の仕事に精を出すため、病人は診られない。

清宗村の百姓のみならず、江南原一帯に住む百姓たちも、竿が立ったら治療を求めてやって来る。竿が立つかどうかは清宗村以外からは見えないので、口伝えで、遠くの村まで伝わるのだ。

案の定、家の中の土間にも、病人がしゃがんでいた。ひどく咳込《せきこ》んでいる年寄り、目のつぶれた老婆《ろうば》の手を引いた女、妊婦のように腹のふくれた男が、助左衛門の顔を見て、軽く頭を下げた。家の中全体に薬草の匂《にお》いが漂っている。

助左衛門が来意を告げると、奥から平右衛門の娘しげが出て来た。子供ができないまま亭主から三行半《みくだりはん》をつきつけられ出戻った長女で、女房を早く亡《な》くし、後妻をとらなかった平右衛門の世話を一手に引き受けていた。

「平右衛門殿に相談したいことがあって、参りました」

しげが腰を折り、また奥に引っ込もうとしたとき、平右衛門が顔を出した。木綿の格子《こうし》の単衣《ひとえ》を襷掛《たすきが》けにしている。

「こりゃ助左衛門殿、ようお出《い》でなさった。上がって、お茶でも飲んどってつかあさい。すぐ行きますけん」

平右衛門はしげに目配せして、土間横の部屋に引っ込んだ。

納屋《なや》のようなその奥まった場所で、平右衛門は患者を診て、薬を処方していた。治療代は、払えなければそれでよしとし、ほんの心づけ程度ですんだ。だからこそ、村人たちは吉井にいる本物の医者のところには行かず、ここに来るのだ。とくに平右衛門が作る皮膚のただれ用の薬は、よく効くという噂だった。

「こげん病人が多かと、しげさんもてんてこ舞いでっしょ」

茶を運んで来たしげに助左衛門は言う。

「旗を出しとる日は、朝から晩まで休む暇もなかです。今日は北野村《きたの》からも見えとりました」

「北野村ちいうと、御井郡《みい》じゃなかですか」

助左衛門もいささか驚く。稲吉堰のある御原郡よりも筑後川寄りにある村だった。

「どげんしてやって来るとですか」

「何日か前に来て、野中村《のなか》の知り合いの家に泊まってあったごたるです。旗が出るのを待って、来られたと言ってありました。背中いっぱいに吹き出ものができとりました。あっちの方にも医者はおられるとでしょうが」

「そこは、親父殿の見立てがよか証拠」

しげがそそくさと退出したあと、助左衛門は戸口から外を眺める。茶の木の生垣は敷地の向こうまで延びて、その手前の畑は薬草園になっていた。下男が薬草の穂を摘んでは竹籠《たけかご》の中に入れている。左側にある厩《うまや》からは、別の荒使子《あらしこ》が堆肥《たいひ》をかき出し、畑の奥まで運んでいた。

畑も厩や納屋の外も整然としていて、助左衛門の屋敷内とはいささか様子が違っている。もともと助左衛門自身、雑然さが気にならず、荒使子たちにもうるさく言わない。ちよも似たり寄ったりで、化粧は念入りにするものの、衣桁《いこう》には何枚もの着物が重ねられたままだ。

「助左衛門殿、待たせました」

戸が開いて、平右衛門が姿を現す。襷掛けをはずしていた。

「急に押しかけて申し訳なか」

助左衛門は詫《わ》び、勧められるままに茣蓙《ござ》の上に坐《すわ》る。「実は先刻、糸丸村の三田藤兵衛殿が見えて、堰に反対すると言われたとです」

「やはり横槍《よこやり》が出たですか」

平右衛門は頷《うなず》く。驚いた様子は微塵《みじん》もうかがわれず、助左衛門は肩から力が抜けていくのを感じた。

「異論が出るとすれば、あのあたりからだと思っとりました。堰がどこに予定されとるか、耳にはいったとでっしょ」

「これぱかりは、最後まで人の口に戸を立てるのは難しかです」助左衛門は首を振る。

「筑後川と耳納山に挟まれたこの江南原は、東の方から生葉郡、竹野郡、山本郡に分かれとります。そんうち、日照りに一番弱い所が、生葉郡の西の方にある村と、竹野郡の村々です。生葉郡の東寄りにある糸丸村のあたりは、こんあたりの村々ほど、水不足で苦しんだこつはなかはずです」

「ばってん、水が欲しかとは山々じゃと思いますが」

「そこです」

平右衛門が上体を前に傾ける。「水ば貰《もら》えるにこしたこつはないとですが、はなから同意しておくと、何やかや面倒臭かこつが起こると、算段しとるのじゃなかでっしょか」

「というと」

「村の負担が、いや庄屋の負担が増えるちいうことです」平右衛門が重々しく言い切った。

「そこまでは思いもつかんでした」助左衛門は唸《うな》る。「藤兵衛殿が反対の理由にあげたのは、前以《まえも》っての相談もなく、頭越しに話をすすめたこと、第二は、大水のとき、真先に災厄が及ぶとは、堰に近か村、ちいう心配でした」

「根回しばしとっても、同じこつだったでしょ」平然と平右衛門は言ってのけた。

「根回しの時点で、頭から反対されとったはずで、〈幾事密ならざるときは、則《すなわ》ち害成る〉の格言どおりです。私たちがとった策はこれで、間違っとったとは思いません。藤兵衛殿が口にされた二番目の理由は、庄屋ともなれば理屈が分からんはずはなかでしょう。これは、生葉郡庄屋のなかでも最長老である藤兵衛殿を、周辺の庄屋たちが担《かつ》ぎ上げ難癖をつけたと考えたがよかです」

「そいじゃ、放っておくしかなかですね」

「それがよかです」

平右衛門はじっと助左衛門を見つめる。「助左衛門殿。私ら二人で、堰造りの話をしに菅村の作之丞殿を訪ねましたな。そのとき、絵図面ば見せられた作之丞殿が、命ば賭けてもついていきます、と言わっしゃった」

「あれには胸ばうたれました」

「私も全くおんなじ気持ば言うたと思いますが、今でもいっちょん変わりません。今竹村の平左衛門殿も夏梅村の次兵衛殿も同じでっしょ」

平右衛門が居住まいをただす。「よかですか、助左衛門殿、私ら五庄屋は、堰渠《えんきょ》に命ば賭《か》けるとです。もちろん命ば賭けるちいうことは、身代も賭けるちいうことです。目先の損得勘定で動いとるのじゃなかです。筑後川に堰ば造って、溝渠《こうきょ》も開削して水を江南原一帯にひく。これを喜ばん百姓は、ひとりもおらんでしょ。百姓が喜ぶとなら、庄屋も喜ばなきゃいかん。庄屋が喜ぶなら大庄屋も、郡奉行も、有馬の殿様も喜ばるる。堰渠ができて、迷惑するもんは、ひとりとしておらんと思います」

平右衛門の気迫におされて助左衛門は頷くのみだ。

「そんこつは、これまでも頭んなかで分かっとった者がいたとは思います。それは百姓か庄屋か、あるいは郡の役人か、あるいはもっと上の奉行だったかもしれんです。しかし、分かっていたとに、動かなかった。どうして動かなかったか。結局のところは、命が惜しか、身代が惜しか、それだけのこつです。そうやって、長か歳月が過ぎたとです。そんために、この江南原の村々に生まれた百姓は、苦労し続けたとです。ほんにこの村に生まれたちいうたったそれだけで、いつも水ば運ばにゃならん、苦労して作った米は全部年貢米《ねんぐまい》に取られて、粟《あわ》か麦か稗《ひえ》しか食べられん。そいでも、私ら庄屋は、人も土地も持っとるし、役所からの下賜金《かしきん》があるけん、いささかの身代は持っとります。私らに比べると、百姓は身動きがとれん。飢えんように生きていくのに精一杯です。

これが、大水で筑後川の土手が破れてしまったとなると、久留米の殿さんもしぶしぶ金ば出すでしょ。田畑が使えんようになっては、石高も減ります。ところが堰渠となると、余計な出費です。今のままで充分年貢は取れとるのですから、お上は動く必要もなかです。そうやって何十年か何百年かが過ぎたとです。

実を言うと、二年前でしたか、助左衛門殿から絵図面を見せられたとき、神仏の心がそこにのりうつったと思いました。描いたのは確かに高田村の庄屋山下助左衛門殿かもしれんですが、それを描かせたのは神仏です。これを見過ごしたんでは、清宗村の庄屋も百姓も、未来永劫に罰を受ける、私はそげん思ったとです」

平右衛門の言葉に、助左衛門は胸を衝《つ》かれた。そうかもしれなかった。この五年余り、江南原の村々を憑《つ》かれたように歩き回ったのは、神仏の後押しがあったからなのだ。

「ほんに、ありがたか言葉です」

助左衛門は頭《こうべ》を垂れた。目頭が熱くなってくるのを必死で我慢する。

「助左衛門殿」

平右衛門が助左衛門の手を取った。「だからここは動かんがよかです。今さら他の村の庄屋たちのところに日参しても、物乞いに来たと思われるとが関の山です。大水のとき土手が破れるち思っとるのも、天が落ちて来たらどげんしようかと恐れとるのと、いっちょん変わらんです。いくら説明したところで、あん人たちの頭んなかから恐れは消えまっせん。ここはやるしかなかです」

「私も、そげな気がします」

「〈基《もと》いあらば壊《やぶ》るることなし〉と言います。私ら五人の庄屋の志がしっかりしとるのですけん、ここはもう突き進むだけです」

白い髭《ひげ》の伸びた平右衛門の顔は皺《しわ》が多かったが、助左衛門を見つめる眼光は鋭かった。

助左衛門は、来てよかったと心底思った。

二　首唱召喚

家の外に出たとたん、助左衛門は寒さに思わず首をすくめた。夜明けは近く、提灯《ちょうちん》はなくても見えそうだったが、ちよが念のため用意していた。受け取ろうとしたとき、納屋《なや》から元助が小走りで出て来た。

「お早《はよ》うございます」元助は身をかがめて提灯をおしいただく。

「すまんな。も少し寝ときたかろうに。ほんの夏梅村まで行けばよか。あとは次兵衛殿と連れ立って行く」

ちよに留守を頼んで歩き出す。目が慣れてくると、先を行く元助が千草色の短い単衣《ひとえ》と股引《ももひき》だけしか身につけていないのに気がつく。足にはちびた草鞋《わらじ》しかはいていない。踵《かかと》は松の皮のように厚くなり、ひび割れていた。

「お前、寒くなかか」

後ろから呼びかける。

「慣れとりますけん。歩いているうちに寒さは忘れます。旦那《だんな》様のほうこそ、風邪に気いつけて下さい。城下に着くのは昼頃でっしょ」

「疲れ具合による。休み休み行けば、昼過ぎになるかもしれん。いずれにしても、今夜は城下に泊まらんといかん。大庄屋の田代又左衛門殿の知り合いの家に、寄せてもらうこつになっとる」

「あしたがお取り調べですか」

「取り調べちいうか、いろいろこっちが弁明せにゃならん」

「堰《せき》に反対する村があるとでっしょ」

「十一ヵ村から反対の嘆願書が出とるげな。糸丸、古川、福久《ふくひさ》、長野、徳丸、上宮田《かみみやだ》、下宮田、小江《おえ》、橘田、角間、朝田《あさだ》」助左衛門は指を折った。

「みんな、堰ができると助かる村じゃなかですか」元助が不満気に言う。

その知らせがもたらされたのは今竹村の平左衛門からだ。懇意にしている下奉行の菊竹源三衛門が至急の使いをよこして、伝えてくれたという。翌々日、郡役所《こおり》から大庄屋に召喚の書状が届いた。堰渠《えんきょ》造成の首唱者五人を城下の高村権内郡奉行の屋敷にて取り調べるという内容だった。丹羽頼母普請《ふしん》奉行も同席するという。

生葉郡の十一ヵ村から嘆願がなされたので、改めて直接五庄屋を訊問《じんもん》するのが目的に違いなかった。助左衛門がかすかな光明だと感じたのは、公儀の敏速な対応だった。

堰渠造成の意図がなければ、日を置かずに五庄屋を召喚する必要はなく、ただ放置しておけばすむことだ。

「おととい伊八さんと打桶《うちおけ》ばしとったら、今泉村の爺《じい》さんが近寄って来たとです。名前は知らんのですが、もう年なのに、筑後川の水を汲《く》んでは畑の方に運んでいるとです。あんな細い身体《からだ》で、よう水桶ば天秤《てんびん》にして運べるもんだと感心しとりました。土手は、横向きになって少しずつ上り下りします。一日に何十回もです」珍しく元助が自分から口をきいていた。

「ほう、そいで」

「その年寄りが、あんたのところの庄屋どんは偉か人ばい、よか庄屋どんばもっとるの、と言っとりました。堰のこつば聞いたとでしょう」

「水汲みしとるもんなら、そうじゃろな」

「自分とこの庄屋どんにも五庄屋を助けるほうに動いて欲しかばってん、何もするつもりはなからしか、と言っとりました」

今泉村の庄屋は助左衛門も知っているが、面倒事をわざわざ背負うような人間ではなかった。

「仕方なか。世の中はそげんなもんじゃろ。口をつぐんでおけば、無駄な労力はいらん」

助左衛門は、自分の描いた絵図面を思い起こす。大石堰から取水した水は角間で北と南に分岐する。北水路は夏梅村と高田村の間を抜けたあと、今泉村の脇《わき》を通ることになっていた。水路ができれば、高田村や夏梅村同様、水の恩恵を受けるはずだ。しかし黙っておれば、手を汚さずに漁夫の利を得ることができる。

夏梅村にはいると、次兵衛の屋敷はもう丸見えだった。先代の頃から庄屋の屋敷には塀も垣根もなかった。前の道まで来ると玄関の戸が開いた。次兵衛に続いて出て来たのは、嫁がせた娘の志をだ。

「提灯の明かりがこっちに近づいて来るので、お父《と》っつぁんだと分かりました」

次兵衛が律儀《りちぎ》に頭を下げる。横に控える志をも、懐《なつか》し気に助左衛門の顔を見やった。隣村に住みながら、志をが里帰りするのは正月だけで、それも泊まらずに帰って行く。

「子供たちも元気にしとるかの」

嫁入って、たて続けに三人の息子ができていた。

「元気にしとります。さすがに今は寝とりますが」

次兵衛が目を細めて答えた。

「元助、ご苦労さん」志をから声をかけられ、元助がかしこまる。「元気にしとるね」

「へ、元気で働いとります」

「伊八しゃんは」

「元気です」元助が提灯を消す。

「ちょっと待っとかんね」志をが家の中に引っ込み、擬宝珠《ぎぼうし》の葉に包んだものを持って来る。「握り飯ば作ったけん。伊八しゃんと一緒に食べんね」

元助は迷ったが助左衛門が頷《うなず》いたので、押しいただいた。

「さあ行きますか」

次兵衛が言う。もうあたりは明るくなりかけていた。元助を帰して、次兵衛と二人で歩き出す。角を曲がるとき次兵衛が振り返る。志をがまだ玄関先に立っているのが見えた。

「おっかさんの具合はどげんですか」

助左衛門が訊《き》く。次兵衛の母親は長患《ながわずら》いをしていた。

「寝込みがちですばってん、食もいけるし心配はしとりません。家の者に平右衛門殿の薬ば取りに行かせて、飲んどります」

「そりゃひと安心」

「志をが、ようしてくれます」

娘のことを誉《ほ》められて、助左衛門もつい頬がゆるむ。

「不足のところがあったら、びしびし言うて下さい。あれは、言葉にせんと分からんところがありますけん」

「申し分なかです」次兵衛は大真面目《おおまじめ》で答える。「この頃は、三人の息子を見るたび思うとです。こいつらが大人になったとき、もう水には苦労しとらん。この辺一帯、水がごうごう音立てて流れとると」

言われて助左衛門は道のかたわらの溝に眼をやる。乾き切ってはいないが、流れている水の音はしない。

もともとこの溝の源になっているのは隈上川だが、水量は少ないので、長野村から西の方に進むにつれて水は使い果たされる。西の方にある夏梅村や高田村にたどり着く頃には、溝に水の影はほとんどなくなるのだ。

助左衛門は、反対の嘆願書に名を連ねた十一ヵ村を思い浮かべる。三田藤兵衛のいる糸丸村にしても長野、福久、徳丸、上宮田村にしても、隈上川の恩恵をそこそこに受けていた。だからこそ慌《あわ》てふためく必要はないのだろう。

「妙なこつですが、私は小さかときから、水の音が好きでした」

次兵衛がしみじみとした口調になる。「雨が木の葉っぱにかかる音や、軒下から落ちる水滴が石にはじける音、井戸から水を汲み上げる音、みんな好きだったとです。小さか頃は、雨が降り出すとすぐ庭に飛び出して、走り回っとりました。母親からも、お前はこのあたりの百姓がいつでん水不足で悩まされとるのが、よう分かっとるな、ち言われたこつがあります」

「分かっとったというより、幼心に感じとったとでっしょ」

助左衛門は、幼い次兵衛が裸になって雨の下ではしゃぐ姿を、しばし思い浮かべた。今竹村近くの畑には、もう起き出している百姓がいた。天秤棒を肩に担《かつ》ぎ、かぶら菜に水をやっている。水は井戸から汲み上げたのだろう。畑全体に灌水《かんすい》するためには、家と畑を何十回も往復しなくてはなるまい。

村中の道を曲がると庄屋の土塀が見えた。ぶ厚い土塀だが、ところどころ土がはげ落ちて、中の竹と縄がむき出しになっていた。もう何年も前からそうだ。

わずかに傾いた檜皮《ひわだぶ》葺きの門をくぐる。玄関先で次兵衛が声を出すと、中から女の声がした。しばらくして戸が開く。出て来たのは奥方のほうで、愛想良く頭を下げた。

「主人ば頼みます」と言い、まだ家の中にいる平左衛門を手招きする。出て来た平左衛門は旅仕度ができているものの、腫《は》れぼったい目をしている。背中に担《にな》った包みを奥方が結び直し、「よろしゅうお願いします」とまた頭を下げた。

「早う起きるのは慣れとらんもんで、すんません」平左衛門が詫《わ》び、欠伸《あくび》をひとつする。

「奥方は、相変わらず元気がよかですの」

屋敷を出て、助左衛門は正直な感想をもらした。

「うちは、あれでもっとるようなもんです。夜なべで遅くまで縫い物をしとるとに、朝は早いとです」

平左衛門は自慢気な口調になる。その縫い物の腕は、近在にも鳴り響き、ちよも八丈物単衣を頼んだことがあった。出来映えのよさに、ちよは舌をまいていた。

寒さがこたえるのか、平左衛門が続けざまに咳《せき》をする。二日がかりの旅なので、助左衛門は気になる。先を歩く次兵衛も後ろを振り向き歩調をゆるめた。

菅村の猪山作之丞の家は、竹垣だけは新しいが、平百姓の家と大差ない質素な造りだった。偉丈夫の作之丞は外に出て石に腰かけていた。相変わらず、袖《そで》も袴《はかま》も短い。三人の影を認めて勢いよく立ち上がり、挨拶《あいさつ》を交わす。

「お待たせしたとじゃなかですか」次兵衛から訊かれて作之丞は首を振る。

「待ち切れんで、暗いうちから外に出とりました。こげん嬉《うれ》しかこつは、何度もあるもんじゃなかです。女房、子供はまだ寝とります」

作之丞は手にしていた風呂敷《ふろしき》包みを肩に結び直した。体裁などお構いなしだ。早起きの村人たちと村中で行き合う。何事かと目を丸くする村人に、「お城に討ち入りたい」と作之丞はそのたびに答えた。

なるほどそうだと助左衛門は感心する。普請奉行による召喚だが、城攻めと同じだった。何とか普請奉行を説き伏せなければならない。

田畑に出ている百姓の姿がさらに増えていた。稲を刈り取ったあとの田を、牛で耕している者もいれば、大根や菜種に杓《ひしやく》で水をかけている者もいる。朝餉《あさげ》前のひと仕事に違いなかった。

清宗村にはいると、出会う村人の数がますます多くなった。平右衛門の家でも、荒《あら》使子《しこ》たちが起き出し、仕事を始めているのが茶の生垣越しに見えた。そのうちのひとりが主《あるじ》に知らせたのか、娘のしげを連れて平右衛門が姿を見せる。草鞋に脚絆《きやはん》の立派な旅姿で、大きな風呂敷包みを手に抱えている。

「ひとつ腹ごしらえをしてから、出かけましょ」

平右衛門が勧め、開け放った縁側に腰をおろす。しげが若い下女を連れて盆を運んで来た。

「何もありまっせんばってん」

しげが言い、ひとりひとりの前に飯椀《めしわん》と汁椀を置く。いずれも湯気が立っていた。下女がその横に菜の皿と箸《はし》を添えた。冷えた身体にはいかにもうまそうだ。

「これは白飯じゃなかですか」作之丞が驚きの声を上げた。

「大事な日ですけん」平右衛門が答える。

「清宗村の米ば、いただかせてもらいます」次兵衛が言い、箸をとった。

「こん南瓜《かぼちゃ》はおいしかですね」平左衛門はもう口をもぐもぐさせている。

「南瓜ならいくらでもありますけん」しげが言った。

味噌《みそ》汁《しる》の具は豆腐と干しぜんまいで、刻みねぎを入れてあった。

「御飯も汁もありますけん、どうぞ」

助左衛門が汁を半分飲んだのを見て、しげが言い添える。さっそく作之丞が飯と汁のお代わりをしていた。

四人とも道すがら朝飯を食べるつもりで、食い物の包みを持参していたが、それは夕餉にまわしてもよかった。

汁を二杯腹の中に入れると、綿入れを一枚重ねたように身体が暖まっていた。助左衛門は南瓜の甘みをかみしめ、最後の飯を口にする。お代わりを、としげに言われたが遠慮した。結局、飯と菜と汁のすべてをお代わりしたのは作之丞だけだった。次兵衛は飯の二杯目を、平左衛門は南瓜の二皿目をたいらげた。

「朝早いとに、えろうお世話になりました」

助左衛門は平右衛門としげに言う。心なしか足腰に力が漲《みなぎ》っているような気がした。

「腹一杯になりました。もう矢でも鉄砲でも恐《こわ》くなかです」

作之丞が腹をなでながら言い、しげを笑わせた。

しげと下女に見送られて家を出る。清宗村を出て吉井に近づく頃には、前方の耳納山がはっきり見えるくらいに明るくなっていた。

郡役所のある吉井町は、日田街道のうちで最も賑《にぎ》わっており、油屋に醤油《しょうゆ》屋、紙屋、塩屋、酒屋、乾物屋、石屋など、たいていの店が集まっていた。そのせいか遠くから町並みを見ても、屋根の色や形が違っていた。瓦葺《かわらぶ》きの家も多く、藁《わら》屋根にしてもぶ厚く、高かった。

左官や樋師《といし》、石工《いしく》、大工、紙師、表具師《ひょうぐし》などの職人がいるのも吉井町で、近在の村々からお呼びがかかれば、一日、二日がかりで出向く。たとえば桶が壊れたときなど、桶屋は庄屋の家に泊まらせてもらい、村中の桶を修理して、また次の村に移るのだ。

助左衛門がよく訪れる紙屋は、提灯《ちょうちん》屋と餅《もち》屋の間にあったが、まだ表戸は閉まっていた。餅屋だけ、下女が出て来て戸を開けようとしていた。

大庄屋田代又左衛門の広い屋敷は、街道のはずれを山手の方に少しはいった所にあった。北と西側にいちいがしの屋敷林があり、主屋《おもや》や蔵、納屋《なや》を風から守っている。

助左衛門たち生葉郡の庄屋が大庄屋を訪ねるのは一月と六月が多かった。まずは正月二日に近在の庄屋と連れ立って年始の挨拶におもむく。翌三日は、庄屋のまわり持ちでこちらを訪ねたあと、十数人一緒に郡役所に年始まわりをする。手土産が必要なのはもちろんで、誰もその当番にはなりたくないのが本音だった。助左衛門も六、七年前に当番にされたが、手土産にする物がなく、蚕の繭《まゆ》を売って絹の反物を買った。その際に見た他の庄屋たちの手土産もそれぞれ苦心のほどが察せられた。干した川魚や、生きた鰻《うなぎ》、生きたすっぽん、掘りたての筍《たけのこ》、椎茸《しいたけ》、盆栽、竹細工など、珍しいものばかりだ。

八日は御用始めで、庄屋はそれぞれ前年の年貢《ねんぐ》納入の帳簿を手にして、巳《み》の刻までに大庄屋の屋敷に集まるのがならわしになっている。さらに十五日に、村の人口を申告しに行かねばならなかった。

そのあとしばらく大庄屋を訪れる務めはない。六月になるとまた訪問する日がやって来る。村人の中で病気、死亡、失踪者《しっそうしゃ》があればその名簿をつくり、宗門改め帳と寺の承認を得た手形を持って屋敷に集まる。それが十四日だった。

村人の増減については、八月にも記録する必要はあるものの大庄屋に届けなくてもすんだ。

現在の大庄屋田代又左衛門は助左衛門より若く、五十歳になったばかりだ。色黒の丸顔で、目は大きく、両の耳が外に開いていた。身体も丸っこいので、どこか狸《たぬき》かいたちに似た印象を与えた。

二年前、五庄屋が連れ立ってこの屋敷を訪れ、堰渠《えんきよ》造成の話を初めて打ち明けた。又左衛門は、壮挙じゃと身を乗り出してくれたものの、自らの助力についてはひとことも口にしなかった。郡《こおり》奉行への取り次ぎを平右衛門が懇願し、それだけは請け合ってくれた。

しかし以後何の音沙汰《おとさた》もないままに過ぎたので、その年の暮に、平左衛門が面識のある下奉行の菊竹源三衛門に頼み込んで、ようやく郡奉行の耳に入れた経緯があった。又左衛門は空約束をしただけで、何ひとつ骨を折らなかったのではないかと、助左衛門は察しをつけていた。ただ正式な立願書だけは、形式上大庄屋の手で郡役所に提出された。

大庄屋としては、庄屋が余計な画策をして動けば、その分、気苦労も増える。金銭の面でもとばっちりがくると思い込んでいる節もある。

今回の五庄屋召喚についても、本来ならば同行したくないのが本音なのかもしれない。とはいえ五庄屋だけを城内にやっては、他の庄屋に対してしめしがつかなくなる。陰口を叩《たた》かれる恐れもある。そして何より、自分の頭越しで事が決められる心配もあった。

助左衛門たちは、瓦屋根をもつ門の前で立ち止まる。大きな観音開きの戸は閉まり、開いているのは脇《わき》の通用門だけだ。作之丞が先頭に立ってくぐろうとしたとき、中にいた下男が慇懃《いんぎん》無礼に押しとどめた。

おそらく主人の命令で待ち受けていたのに違いなく、「すんまっせん、ちょっとお待ち下さい。ご主人様を呼んで参りますけん」と言った。

とめられたからには中にははいれず、助左衛門たちは門の外で待った。誰も口にこそ出さなかったが、中に入れると、茶あるいは飯でも供さなくてはならないので、又左衛門はそれを嫌ったのに違いなかった。

大庄屋はほどなく出て来たが、別の下男を従えていた。小柄な下男は大きな風呂敷包みを手にしている。おそらく中には主人の裃《かみしも》、小脇差がはいっているのだろう。庄屋には許されず、大庄屋のみ、改まった席で身につけられるのが麻の裃と小脇差だった。

「待たせましたな」又左衛門が言った。

「わざわざのご同行、いたみいります」平右衛門が言い、助左衛門たちも頭を下げた。

街道筋の店のほとんどがもう表戸を開けていた。店先に出ている手代《てだい》や下女たちが大庄屋に挨拶する。又左衛門は口の中で返事をした。

道には塵《ちり》ひとつ落ちておらず、隅々まで掃き清められ、さすがに村中の道とは違った。

吉井の町を出ても、道の手入れが良いのは一向に変わらなかった。これも街道沿いにある村々の夫役《ぶやく》のおかげだ。両側に植えられた松を目印として、どこからどこまでがある村の受け持ちと決められるので、行き届かない箇所はすぐ目立ち、庄屋が郡役所に呼び出され、叱責《しっせき》された。度重なると罰金を金か米で上納しなければならない。

殿様や家老職など身分の高い侍がそこを通ることが決まると、五、六日前に必ず達《たっ》示《し》が来る。庄屋は当番を決め、道の脇に朝から待機させなければならない。日が昇るとともに、当番の百姓たちは箒《ほうき》で道を清め、塵ひとつないようにするのだ。

へこんだ箇所があれば、前以《まえも》って土を入れ踏み固めた。手がかかるのは雨の日だった。雨に備えて、数日前から道の両側に川砂か山砂を用意しておく。殿様や家老が通る直前に、竹箒でたまった水を両側の溝に掃きやり、砂を敷いて水を散らさなければならない。

幸い高田村は街道から遠くてその任は免除されていたが、清宗村の平右衛門は、短い区間ながらも村の受け持ちがあり、苦労話は何度も聞かされていた。

日田から久留米の城下に向かうには、この日田街道の他に、脇街道があり、耳納山の麓《ふもと》を通るので山辺の道とも呼ばれていた。隈上川の少し西で日田街道から山寄りに分岐し、生葉郡の屋部《やべ》や千代久《ちよひさ》を過ぎて竹野郡にはいる。二田《ふたた》や中原《なかばる》、隈《くま》、草野《くさの》を経て山本郡になり、吉木《よしき》や宮園《みやぞの》、柳坂《やなぎざか》、高椋《たかむく》を過ぎて追分で、日田街道に再び合流する。全長約六里だった。助左衛門も若い頃二度ほど通ったことがあった。山辺の道というだけあって、道幅は一間強しかなく、道端には草が茂っていた。まっすぐの道ながらも上り下りがあり、健脚向きだ。大庄屋は見るからに歩くのが苦手らしく、山辺の道は論外で、日田街道のほうが好都合だった。

吉井を過ぎた所に、榎《えのき》の大木が両側に植えられている。一里木で、そこから城下までは約六里だった。途中休みをとったとしても、日が傾く頃までには宿にたどり着くことができるはずだ。

先頭を大庄屋の下男が歩き、そのあとを作之丞と次兵衛、その後ろに又左衛門と平右衛門、最後尾に助左衛門と平左衛門が続いた。

平右衛門は、又左衛門を退屈させないように何かと気をつかい、話しかけては、左右に見えるものに注意をひいている。

「松、少しゆっくり行ってくれ」

主人に後ろから言われて、下男はかしこまり、歩をゆるめる。田主丸《たぬしまる》の町の手前にある一里木を過ぎる頃には、大庄屋の息は上がりかけていた。

「ひと休みしましょう」

餅屋の横にある茶屋が開いているのを見て、平右衛門が又左衛門に言った。さっそく次兵衛が中にはいり、おかみを呼んで来る。それぞれ、店の前にある二つの縁台に腰をおろした。

熱い茶を頼むと、小さな餅が二つつくのだと、おかみが言う。

次兵衛がそれでいいか、大庄屋に確かめ、七つ注文した。

やがておかみが運んで来たのは、湯飲みにはいった茶と、小皿にのせた小さな餅だった。餅は焼かれて醬油がかけられていた。香ばしく、熱い茶とよく合い、文字通りひと息つけた。

道を歩く人の数が増えていた。牛が引く荷車に載せられているのは炭俵だ。上に綿入れを着た子供が坐《すわ》っていた。馬喰《ばくろう》が馬を二頭、日田の方に引いて通り過ぎる。その馬を避けるようにして棒の先に籠《かご》を担《かつ》ぐ男がやって来る。竹籠の中に、色のよい雉子《きじ》が入れられているところからすると、城下まで売りに行っているのに違いない。背中に竹のひごを丸くしたものを背負って、一軒一軒まわってご用聞きをしているのは桶《おけ》屋だった。天秤棒《てんびんぼう》の男は、しじみ売りの掛け声を出し、向かい側の染め物屋の前で呼び止められた。

村中と違い、ここに坐って通行人を眺めるだけでも一日倦《あ》きることはなさそうだった。助左衛門は、しばし我を忘れて眺めやった。

気がつくと、代金はもう次兵衛が支払っていた。

礼を言って、再び歩き始める。亀山《かめやま》と唐島を過ぎて、遠くに再び一里木の榎が見え出す。大庄屋の足取りはいよいよ重くなり、平右衛門が前を行く作之丞に声をかけ、歩みを遅くした。又左衛門はもう歩くのがやっとで、平右衛門と話を交わすゆとりもなくしていた。

「善導寺《ぜんどうじ》の手前にある大城《おおき》の渡しで、船に乗りまっしょか」

榎の大木の根でひと息ついたとき、助左衛門は平右衛門にもちかけた。

日田街道は、常持《つねもち》から善導寺に至る所で最も筑後川に近くなっていて、山本郡の勿《もっ》体島《たいじま》と対岸の御井郡を結ぶ船渡しがあった。もちろん貸し船もあるはずで、川を下って城下に着くことができる。一艘《そう》いくらかかるか助左衛門にも分からないが、ここはもう他に方法がなかった。

平右衛門が又左衛門に、うかがいをたてる。又左衛門はほっと安堵《あんど》の表情を見せた。

「作之丞殿、先に行って船ば探しといてもらえんですか」平右衛門が声をかける。

「分かりました」

作之丞は次兵衛と共に足を速めた。

筑後川の船渡しは、生葉郡に四ヵ所、竹野郡に二ヵ所、山本郡に一ヵ所あった。そのうち最も上流に位置しているのが、大石村の少し下流にある古川渡しで、古川村と筑前領杷木《はき》を結んでいる。筑後から筑前の彦山《ひこさん》へ参詣《さんけい》する際、旅人はこの渡しを通る。その下流の小江《おえ》渡しでは、小江村から筑前領志波《しは》村と山田村に行くことができた。高田村の近くにも高田渡しがあって、筑前領古毛《こも》村に通じていたが、船は一艘しかなく、小江の渡し守が兼任しているに過ぎなかった。

さらに下流からは竹野郡になり、石王瀬《いしおうのせ》と恵利《えり》の船渡しが設けられ、その先で山本郡にはいって大城の船渡しになる。別名これは舩《ふなばた》の渡しで、勿体島から対岸の御井郡大城村に通じている。太閤《たいこう》秀吉が島津氏を攻め下った際に、この渡しを使ったと言われていた。

三郡の全庄屋のうちでも、これらすべての船渡しを実地踏査して知っているのは助左衛門だけに違いなかった。

助左衛門は実際に渡し守に川幅を尋ね、許される所では対岸まで渡ってみたのだ。従って召喚の席で筑後川の流れや川幅に関して訊問《じんもん》があった場合、真先に答えなければならない。助左衛門は改めて気持を引き締める一方で、自分の迂闊《うかつ》さにも気がつく。十一ヵ村の庄屋から反対の訴状が出てはいたが、筑後川でなりわいをたてている漁師や船守りなど水主《かこ》たちが堰《せき》造りをどう考えているか、全く考えも及ばなかった。

堰の位置として、古川の船渡しの二、三町上流、大石村近くを考えたのは、そこが江南原の東の端であり、かつ川幅は広くても、比較的浅いからだった。そこに堰を造った場合、下流の川幅が多少狭くなる恐れは充分ある。特に水が少なくなる夏の時期は、古川、小江、高田の三船渡しは、水位が減少する。川幅が狭くなって、浅い所が多くなった場合、果たして水主たちは喜ぶのか怒るのか。

船渡しの渡し料は、侍だけは無料で、その他は十五文とほぼ決められていた。増水の際は、少々それに上乗せして支払わねばならない。反対に浅いからといって、値下げは考えにくい。浅くて、川幅が狭ければ、船渡しは楽になる。水主たちが目くじらをたてて反対するとは、考えにくい。

助左衛門は半ば胸を撫《な》でおろし、後ろを振り返る。大庄屋の足取りは相変わらず重く、肩を並べている平左衛門も息が荒くなっていた。

「ちょっと休みましょか」

助左衛門が訊いたが、平左衛門は首を振る。明らかに大庄屋を気にしていた。若いくせに自分から休むなどと言っては、面目が立たないと思っているのだ。

「すんません。ちょっと休ませてもらえんでしょうか」

助左衛門は前を行く平右衛門に呼びかける。腰をかがめて、足を撫でた。「年には勝てんです」

平右衛門は振り返り、又左衛門に同意を得る。付近にあるのは百姓の家ばかりで、茶店などはない。幸い道端に、道祖神があった。

道端の大きな石に又左衛門が腰を下ろすと同時に、付き添った下男が漆塗り瓢簞《ひょうたん》の水入れをさし出した。

「夏でなくて助かった。これが夏なら、途中で干上《ひあ》がっとった」

又左衛門が水を飲み下して安堵した顔になる。

「ほんにすんまっせん。面倒かけます」平右衛門が頭を下げた。

平右衛門も持参の竹筒から水を飲む。助左衛門のは自慢の瓢箪で、柿渋《かきしぶ》が塗られていた。死んだ十松が丹精こめて作り上げてくれたものだ。瓢箪作りは十松の唯一《ゆいいつ》の道楽だった。納屋の軒下に縄を網状に組み、地面から瓢箪とへちまを這《は》わせた。へちまは乾かして女たちに配り、瓢箪には柿渋を幾重にも塗り重ねて丈夫にし、あちこちに進呈していた。打桶に行く伊八が毎日持って行くのも、十松が遺《のこ》した瓢箪のはずだ。

「もう船も見つかっとる頃でっしょ」

平右衛門が大庄屋を促す。余り遅くなると、先に行った次兵衛と作之丞にいらぬ心配をかける。

半里ほど歩いたところで、前方の土手の上に人影が見えた。先を歩いていた大庄屋の下男が振り返って知らせる。助左衛門の目には判別できなかったが、次兵衛と作之丞のようだった。

下男が主人の手を引く。又左衛門は坂を息を切らして登り、土手の上で大きく息をついた。

「船ば見つけました」作之丞が土手下を指さす。

渡し場には渡し守の小屋があり、その先に竹で造った桟橋が延びていた。脇には船が一艘、砂岸に上げられていた。渡しに使っている船は、ちょうど向こう岸に着いたばかりで、二人の客が降りようとしている。

渡し守に話はつけてあるらしく、待機していた船頭は、船を桟橋の方に移動しはじめる。

「助左衛門殿、ここあたりで川幅はどのくらいになりますか」大庄屋が訊《き》いた。

「百二十間はありまっしょ。実際、水の流れている川幅だと、七十間から七十五間というところでっしょか」

助左衛門は目分量で答える。今は筑後川の水量は夏場に次いで少ないほうだった。

「大石村のあたりになると、これよりは狭くなっとるはずですな」

「あのあたり、百間です。普段の水流の川幅は、ここと大差なかと思います」

又左衛門は頷《うなず》いたままで返事をせず、川面《かわも》を見やっている。改めて筑後川の大きさと、工事の大変さを思い描いている様子だった。

「ここまででよか。あさっての昼頃、紙屋さんの家まで迎えに来てくれ」

砂場まで降りると、大庄屋は下男に言った。下男の荷物は次兵衛が手に取る。

船は六人が離れて坐っても充分に余裕があった。船頭が棹《さお》で川底を突き、船を出す。

川風が冷たく首筋を刺した。

「歩いとるうちは感じんかったが、こりゃ寒か」又左衛門が襟を合わせる。

くれていた。

幸い大庄屋を囲むようにして乗ったので、舳先《へさき》に坐った助左衛門が風除《かぜよ》けになって
「船はやっぱり楽です」隣に坐る平左衛門がほっとした顔になる。

対岸にいた船に、馬が一頭乗ろうとしていた。馬喰がひとりついていたが、馬は尻《しり》
込《ご》みしてうまくいかない。

次兵衛が船頭に、馬の渡し賃はいくらかと訊いた。馬一頭三十文という答えが返ってくる。人間のほうは荷物つきで十五文だから重さからすると釣り合わないが、これも馬が尊重されているからに違いなかった。

渡し船の大きさはどの船渡しでも同じで、長さは五間五寸、幅は六尺五寸だった。

馬がようやく船に乗る。人間のほうは四、五人、船尾の方に小さく寄り添って坐っていた。

左側に、善導寺の大楠《おおくす》が見えていた。公方様の菩提寺《ぼだいじ》である江戸の増上寺と同門の浄土宗の寺だ。有馬公の前に久留米をおさめていた田中家二代目忠政公の内室が家康公の姪《めい》であったことから、善導寺は田中家から厚遇された。今でも江南原三郡の中では最も由緒《ゆいしょ》ある寺で、助左衛門も幼い頃、父親に連れられて訪れたことがある。三本の大楠が四方に枝を広げており、下にはいると夏の陽射《ひざ》しが遮られてひんやりしてい

た。

「船渡しも、このあたりのように領内渡しならよかばってん、下流になると肥前の他領渡しになるけん、いろいろ難しかこつが起こる」

又左衛門が両岸に眼をやりながら言う。「そんなかで、一番往来が激しかとは、御城の下流にある大石渡しじゃなかろか」

「あそこは長崎街道に通じとりますからな」平右衛門が応じる。

「だけん、お上でもあの渡しだけは大切に扱っとる。こっちの大石村から肥前の豆津《まめづ》村に渡る分は、百姓でも金をとらん。渡し船も大きさこそ他の渡しと同じになっとるばってん、頑丈で立派な塗りにしてある。お上が作った船じゃからな。水主も二人おって、お上が二人扶持《ぶち》の給米をやっとる。反対に、豆津村側から渡るときは、お侍はただばってん、その他の者からは三十文とる。これが肥前様の方針」

他領に渡る際、往来証文を所持しなければならず、百姓に対してそれを書くのが庄屋の役目だった。助左衛門も、何年か前に村人が三人、筑前領の宮地嶽《みやじだけ》参詣に出かけたとき、記した覚えがある。証文は郡《こおり》役所に届け出て、郡奉行の裁可を得た。

同じ久留米領内でも、神代《くましろ》渡しと宮地渡しでは渡し切符が必要だった。助左衛門が作之丞と二人で御原郡の稲吉堰を見に行ったときは神代渡しを渡ったが、渡し切符は郡役所から出してもらっていた。

「助左衛門殿」

又左衛門が声をかける。「高田村は、筑後川の向こう岸に飛び地があるでっしょが。この頃はもめ事は起こらんですか」

「毎年起こりよります」助左衛門は風に消されないよう声に力を入れた。「これはもう年中行事のようなもんです。この間も、うちの村の者が飛び地に植えた稗《ひえ》ば抜かれたと訴えてきました。そいで向こう岸の古毛村の庄屋に会って、二度とせんように申し込んだとです。古毛村の飛び地もこっち側にあって、松を植えとったのですが、うちの村の百姓がそれを引き抜いたことがありました。五、六年前でっしょか。そんときはその百姓ば連れて、向こうの庄屋に謝罪に行きました」

「そげなこつがありよるとですか」

平右衛門が驚く。清宗村は川筋から遠いので、そうした心配は一切ないのだ。

「高田村の上流にも飛び地はあったですよね」今度は平左衛門が訊いた。答えたのは次兵衛だ。

「筑前領山田村と志波村の飛び地が、こっち岸に二つずつあります」

「高田村の隣の今泉村も、その下流の行徳村も、向こう側に飛び地を持っとるし、筑前の上寺村《かみでら》も、こっちに分田があります。やっぱし私ん所と同じように、いろいろ沙汰が絶えんようです」助左衛門が言い添える。

「つい二年前も、行徳村の百姓が植えた大豆ば、筑前の長淵《ながふち》村の百姓が盗んだので、張り込んどった村人がとっつかまえた」又左衛門が言った。

「どげんなりましたか」平右衛門が興味をそそられて尋ねる。

「その犯人ば私のところに連れて来たが、これは大庄屋の裁定ではどうにもならん。郡役所に申し出たところ、長淵村のほうでも郡奉行から筑前の家中に使者が行っとって、談義になった。筑前様が出して来たのが、この際国境に関する沙汰には、双方から役人を出して協議して決めようという提案じゃった」

「本当はそれがよかでしょうね。庄屋同士では片づかんことが多かです」助左衛門が頷く。

「しかし殿様のほうは、役人を出し合ったところでけりはつかん、という結論になって、応じなかった。それで筑前ご家中はもう江戸の大公儀にまで訴えをもっていくしかないと考えたようじゃが、それはあんまり仰々しか。結局、郡奉行の高村権内様が、御領日田の代官様とかけ合って、証文絵図を点検して、国境が決められた。境界線に杭《くい》ば打ち込んで、松の木ば植えることに決まったので、追い追い、高田村のほうにも

ただす。

「達示はいつ頃来るとですか」助左衛門にとっては初耳なので、いささか驚いて問い
達示が行くはず」

「来年中には来るじゃろ」

「そんときの費用は、やっぱり村の負担になるとでしょうか。杭や松の木の苗も買わにゃいけませんし、夫役の日当もいります」

「そりゃ、お互いの村で折半することになるのじゃろう」又左衛門は涼しい顔で答える。

「また物入りになりますか」助左衛門は悄然《しょうぜん》とした。お上が裁定を下しても、その措置にかかる費用はいつも地元持ちなのだ。

「飛び地はどういう訳でできたとでしょうか」次兵衛が又左衛門に訊いた。

「川の流れが変わったからじゃないかと思っとる。昔の川絵図を郡役所で見せてもらったことがあるばってん、飛び地はなくて、筑後川が国境になっとった」

「いつ頃の川絵図ですか」助左衛門が訊く。

「二百五十年前という話じゃった」

なるほど、そのくらい昔であれば、土手は無いに等しかったはずで、荒れ川と言わ

れる筑後川が洪水のたび流れを変えるのも頷ける。両岸に飛び地が残ったのはそのためだ。

神代の船渡しをいつの間にか通り抜け、宮地の渡しにかかっていた。川幅は広くなり、目分量にして優に百間を超している。川船の他に釣船も五、六艘《そう》出ていた。久留米家中の旗をかざしていない船は、次々と川岸の方に寄り始める。いわゆる宮地留で、筑前や豊後《ぶんご》から下って来た他領の船はすべて、そこで水夫は船から降りなければならなかった。船を操るのは久留米家中の水主になり、同時に役人が乗り込み、荷を改めるのだ。

陸に上がった水主たちは、陸路一里半ばかりを瀬下まで歩き、そこで再び自分の船に乗る手はずになっている。

宮地の船渡しを過ぎると、川は大きく弓なりに蛇行しはじめる。支流が二本流れ込んでいたが、そのうちの一本は、助左衛門が稲吉堰を見に行った宝満川のはずだ。

「いよいよお城が見え出しましたな」平右衛門が首をもたげて川下の方を指さした。

本丸は天守閣などは持たず、むしろ手前にある櫓《やぐら》のほうが三層の屋根をいただいて高かった。

とはいえ土手の向こうにそびえ立つ石垣は見事で、急峻《きゅうしゅん》さと高さを誇っている。合戦になっても敵を寄せつけないその城壁と、上に建つ回廊によって成り立つ城と言ってよかった。

二層の屋根しかもたない西側の櫓の下は、階段状に石組が造られていた。途中、三つ四つ門があり、朱塗りの柱の白壁、黒瓦《くろがわら》の対比が鮮やかだった。

「ここからの眺めは、ようく胸におさめておくほうがよかです」

又左衛門が首を巡らせて自信たっぷりに言う。「派手な美しさはなかばってん、川から攻めて来た敵は、自分たちが向こうから丸見えになっとるのが分かって慌《あわ》てる。陸の方に迂回《うかい》して攻めても、濠《ほり》が二重三重になって進めん。外濠と中濠の間には武家屋敷があって、そこを突っ切らんといかん。中濠と内濠の間にも、今度は重臣の屋敷が控えとる。第一、濠そのものが曲がりくねっとるので、どこから本丸に攻め入っていいものか迷って、右往左往する。そこば、矢と鉄砲が狙《ねら》い撃ちにする」

「そげんですか」感心して頷いたのは助左衛門だけではなかった。他の四人も、川に覆《おお》いかぶさるようにそびえる石垣と回廊を見上げた。

手前に少し突き出た小高い所があり、見張り所になっていた。竹野郡に設けられた番所よりは規模が大きい。

「瀬下の番所で、番所は下流にも三ヵ所ある。そうじゃったな」

又左衛門が船頭に確かめる。

「そげんです。ばってん心配せんでよかです。助船《すけぶね》の旗ばつけとるし、船の大きさと形はどう見ても久留米家中のものですけん」

船頭は悠々と櫓を漕《こ》ぎながら答えた。

船頭が言うように咎《とが》められもせずに番所を過ぎると、城の石垣がより間近に迫ってきた。やがて手前の岸辺に船倉が見えはじめる。

「あれが船倉」又左衛門が指さす。

大屋根の下に、大小の船が五十艘ほど繫留《けいりゆう》されていた。緊急の場合、武家屋敷に住む侍たちはそこに集まり、出陣する仕組みだという。船倉の脇《わき》に小さな川が流れ込み、橋の奥に寺のそり返った瓦屋根が見え出す。有馬家の菩提寺である梅林寺《ばいりんじ》らしかった。その下流は再び単調な石垣になり、上方に松の緑がのぞいていた。

「あの上は馬場にもなっている。御武家方の調練場。横に見える鳥居のある所は、水天宮」

助左衛門たちが岸辺の風景に見入っているので、又左衛門はここぞとばかりに説明していた。

「水天宮ですか。こげな所にあったとですね」

作之丞が懐《なつ》かしげに言う。「昔、父と来たこつがあります。そんときは、右も左も分からんで、ひたすら歩いたのだけ覚えとります」

「作之丞どんのおやじさんは、信心深かったですけんね」

平右衛門が目を細める。「この近在の神社仏閣には、たいてい行かれたとじゃなかですか」

「誰もついて行かんので、いつもひとりです。私も、水天宮以来、こりごりして絶対一緒に行かんかったですから。高良大社に北野天満宮、善導寺、彦山に宮地嶽――」

そこまで言って作之丞はひと息つく。「あれは、日照りや大雨が来んように祈願に行っとったとです。仏頼み、神頼みです。私の代になって、それはきっぱりやめとります」

又左衛門もどう答えていいか迷った様子で、何も答えない。助左衛門も黙った。何でもかんでも神仏頼みはしたくないが、それを全くやめるのも自分には無理だと助左衛門は思った。

水天宮の下流には、瓦屋根と白壁造りの倉が七、八戸並んでいた。米倉か菜種などを保管する所なのだろう。

「船を寄せますんで」

櫓《ろ》を漕いでいた船頭が叫ぶ。ほどなく櫓を棹に持ち替えた。

「御番所では、ちゃんと証文ば見せて下さい。それがなかと、降りられまっせん。あっしも戻られまっせん」

又左衛門が分かったというように顎《あご》を引いた。

御番所から延びる桟橋は二本あって、ひとつは木製、もうひとつは竹製だった。船頭は船を下流の方にある竹製の桟橋に着けた。

代金は作之丞が前払いしていたようで、助左衛門たちを先に立たせた。

二本差の役人が二人、近づいて来る。

「船上がりの者には、理由ば訊《き》くことになっとる」若侍のほうが早口で言った。

「普請《ふしん》奉行様のお呼び出しで、生葉郡の五庄屋が、城下に参りました」

又左衛門が書状を懐《ふところ》から取り出して役人に見せた。「こちらが清宗村の庄屋本松平右衛門、こっちは高田村の山下助左衛門、こっちが今竹村、重富平左衛門、こちらは菅村、猪山作之丞、そして夏梅村、栗林次兵衛です。手前は大庄屋の田代又左衛門でございます」

名前を言われるたびに助左衛門たちは頭を下げた。

「して今夜の泊まりは」年配の役人のほうが訊いた。

「懇意にしている両替町の紙屋仲蔵殿の家に、泊めてもらう算段にしております」

「召喚は、明日の巳《み》の刻、郡奉行の高村様の屋敷になっとるが、場所は分かっとるか」

若侍が書状を返しながら尋ねた。

「不案内ですが、紙屋で教えてもらおうと考えとります」又左衛門が丁重に答えた。

「両替町からは、そう離れとらん」年配の侍が言い、行けという仕草をした。

助左衛門たちが歩き出したのを確かめて、桟橋にいた船頭も櫓で船を押しやる。

「船賃はどげんなっとりますか」助左衛門は作之丞の傍に寄って、小声で訊いた。

「心配なかです」作之丞が平然と首を振る。

船渡しがひとり十五文とすれば、勿体島からここまで下ると、こちらは百文近く取るに違いない。六人で六百文だから生半可な額ではなかった。

又左衛門が紹介してくれた今夜の宿は、本式の旅宿ではなかったが、いくらかの礼はしなくてはならないだろう。夕飯も頼まねばならない。その謝礼は自分が引き受けようと助左衛門は思った。

ゆるやかな坂を登り、ほどなく左に折れると、両側は町家になっていた。右に曲がり、さらに鍵形《かぎがた》に左、右に折れると長い通りに出た。左側は町家だが、右側には寺が並んでいる。円乗寺、正蓮寺、西岸寺《さいがんじ》の名を読みながら助左衛門は歩を進めた。

通りの先、左に小さな稲荷《いなり》の社《やしろ》があり、それを過ぎたところで町家が途切れ、道は田畑の中を抜ける。植えられているのは麦で、育ちも良い。田の奥に柳の連なりが見え、そこから水が引かれているのに違いなかった。
三、四町歩いたところで、道の両側は再び町家になる。左側に不動明王を祭った社を見てやり過ごす。家並の奥の火見櫓を眼にして、助左衛門はようやく位置がつかめた。今までは北の方から陸路で城下にはいって来ていたので、どの辺にいるのかさっぱり分からなかったのだ。
「火見櫓があるあたりが紺屋町でっしょ」

「そげんです。この通りが今町で、先で米屋町に続いとります」又左衛門が助左衛門に答え、左に曲がった。

「呉服町じゃなかですか。来たこつがあります」平左衛門が声を上げた。「うちの母親ば連れて来たこつがあります」

なるほど手前にある店は呉服屋で、店の奥には反物が積まれている。

「両替町は、呉服町の並びです」

又左衛門が道を左に折れると、前方に城の石垣が見えた。ここまで城の一部が広がっているとすれば、城郭の大きさが分かろうというものだ。

突如として目の前が明るくなり、助左衛門たちは足をとめた。水をたたえた濠が左右に延び、城壁の上に瓦屋根がいくつも見えていた。

濠の幅は五間、石垣の高さは四間だと、助左衛門は目測した。濠の左の方に城内に渡る橋があり、右の方、外濠が曲がっている所にも橋が設けられている。

両替町の中ほどにある店に又左衛門がはいっていく。助左衛門たちは外で待った。紙屋だと聞いていたので、てっきり紙を売っているものと思ったが、並んでいるのは酒樽《さかだる》と土瓶だった。

手代が出て来て、又左衛門を土間の奥に招き入れた。しばらくして、また手代が女中を伴って姿を見せる。

「長旅でお疲れになったでしょ。どうぞ中にはいって、お休みになってつかあさい」

手代が腰を低くして言った。

三　水《みず》刎《はね》

その夜、助左衛門はなかなか寝つけなかった。ひとつには、同じ部屋に五人、布団《ふとん》を並べて寝たせいだった。助左衛門が真中で、左隣が次兵衛、右隣は作之丞、両端は平右衛門と平左衛門だ。

作之丞の鼾《いびき》が大きいのは、稲吉堰《ぜき》を見に行った際、一緒に泊まって知ってはいた。しかしその夜は酒がはいったせいか、余計鼾が大きかった。加えて左端の平左衛門は歯ぎしりだった。初めは次兵衛の歯ぎしりかと思ったが、そうではなく、その向こうから聞こえていた。次兵衛のほうは若さだろう、すぐ横の歯ぎしりにもかかわらず、早速に寝息を立てていた。

助左衛門が寝つけなかったもうひとつの理由は、紙屋の主人仲蔵の話が、喉《のど》に刺さった小骨のように、いつまでも頭のなかにひっかかっていたからだ。

紙屋仲蔵と大庄屋の田代又左衛門とは縁戚《えんせき》にあたるらしかった。年かさは助左衛門と同じ五十半ば、白髪まじりの頭で、又左衛門と反対で長身瘦軀《そうく》、愛想は良いが、目だけは終始冷静な光を帯びていた。

「難儀なことを思い立たれたのう」

それが助左衛門たちの発意に対する紙屋伸蔵の感想だった。

夕飯には目を見張るような食い物が出されたので、自分たちが持参した握飯の類《たぐい》は出すまでもなく、翌日帰りのために引っ込めたほどだ。

汁椀《しるわん》は丼《どんぶり》のように大きく、冬瓜《とうがん》があんかけになっていた。温かく透きとおった冬瓜は、柔らかくて舌の上で文字通りとろけた。飯碗も大きく、まざりけのない白飯なのにも驚いたが、箸《はし》を入れてさらに驚いた。たれをつけて焼かれた鰻《うなぎ》が白飯の中に埋まっていたのだ。

「この鰻丼、絶品です」平右衛門が舌鼓をうったので、助左衛門はなるほどと思った。もうひとつの椀に入れられていたのは豆腐には違いないが、これまたとろけるような柔らかさだった。上に葛《くず》があんかけになっていて、何とも言えない味と舌触りだ。

「淡雪豆腐ですな」

これは又左衛門が教えてくれた。「にがりを入れんので豆腐が柔らかいとです」

酒はさすがに酒屋だけあって、白酒や濁酒《にごりざけ》ではなく清酒が出た。透きとおった酒を口にするのは、助左衛門も二、三年に一回くらいしかない。他の庄屋も同じのはずで、なめるようにして味わった。作之丞がまたたく間に盃《さかずき》をあけたのを見てとって、別の大きな盃を女中に持ってこさせた。五合ははいる盃で、さすがの作之丞も度胆をぬかし、二日酔いを心配してか、飲み方がゆっくりになった。

空《す》き腹が一段落したところで、座の中央に女中がどじょう鍋《なべ》を置いた。いい匂《にお》いをただよわせながら、椀にどじょうがつぎ分けられた。

「難儀なこつば思い立たれましたな」

酒がはいるにつれて、伸蔵は同じことを繰り返し、溜息《ためいき》をついた。助左衛門はその理由がどこにあるのか、酒屋の主人から忌憚《きたん》ないところを聞きたかった。

「あなた方庄屋というのは、お役人に近いようで、遠かですもんな」

紙屋の主人はそう言った。城下に店を構えている町人は、有馬公が前封地の丹波福知山からそのまま引き連れて来た商人か、代々この地で城主につかえている店ばかりらしかった。

「もともと筑後久留米の城主は、初代が田中吉政《よしまさ》公、二代目が忠政公でしたが、嫡子《ちゃくし》がないまま江戸で病没された。それで今から四十三年前、春林院様が丹波福知山八万石から久留米二十一万石へ加増転封にならっしゃった。これはあなた方も周知のことでっしょ。

そのとき家臣だけでなく、商人も根こそぎ城下に住まわせたとです。長町にある竹屋や鍋屋、両替町の丹波屋、若狭屋《わかさや》がその代表です。手前どもの紙屋は、田中公の代からの商家で、もとはといえば城島《じょうじま》の出です。初代吉政公の居城は柳川にあって、久留米城、福島城、城島城などに一族重臣を配置していました。今では城島は立花《たちばな》公の領地になっとります。紙屋の酒造りもそこが本家本元です。ここで造る酒で不足するときは、今でも本家から融通してもらっとります。

つまり、私がここでこうやって商売をしておられるのも、先祖代々殿様とのつながりがあったからこそです。両替町の紙屋といえば、あの酒屋かと重臣の誰もが知っとるはずです。それに比べると、あなた方は庄屋でありながら、お役人とのつながりはなきに等しいか。生葉郡の某村の庄屋某といっても重臣たちは知りません。こう言っては何ですが、大庄屋の又左衛門殿でも同じこつでしょう。あまつささえ今度の事業はあなた方一代で思いつき、成しとげようとされとる。お役人にとっては、藪《やぶ》から棒の話になるとじゃなかでしょうか」

紙屋伸蔵は気の毒げに五人の顔を見渡した。

「堰ば造るのは私ら一代ですけど、その願いは、私の祖父の代からありました」

一番年長の平右衛門が控え目に言った。

「自分は、小さかときじい様に連れられて、川の土手まで行ったこつがあります」

たまりかねたように、一番若い次兵衛が言葉を継いだ。「もうそんときは腰が曲がってよぼよぼでしたばってん、よちよち歩きの私の手を引いて筑後川の土手ば登ったとです。筑後川はいっぱいの水ばたたえて流れとったので、よう覚えとります。ここにはこげん水があるばってん、神仏が与えた罰のように、わしらの村々の田畑には水は一滴だって来ん。この筑後川を堰止められたら、どげんよかろかの、と言いました。父親は若死にしたので、私が家督ば継ぎました。私は、ここにおられる高田村の助左衛門殿の婿《むこ》になります」

言われて助左衛門は紙屋の主人に頭を下げた。次兵衛は続ける。

「そいで、助左衛門殿から堰渠《えんきょ》の絵図面ば見せられたとき、じい様が言っとったこつを思い出したとです。じい様にとっては夢のまた夢だったとですが、自分にとっては夢ではなくなるち思いました。今では、毎日仏壇の前で、じい様に言うとります。あのとき土手の上で言ったことが、ほんなこつになりますち――」

次兵衛がそこまで言って、急に喉を詰まらせるのを見て、助左衛門は胸を衝《つ》かれた。そうした話は一度だって聞かされていなかった。

待ち構えていたように口を開いたのは作之丞だ。

「私のおやじは死ぬ前、悔いとりました」と言い、大きな体軀をまっすぐにした。「自分は菅村の庄屋を三十年務めたが、何一つ村民のためにしてやれんかった。日照りのときは、村民と一緒に泣くしかなかった。考えてみれば、わしがじい様から跡を継いだとき、じい様も同じことば言っとった気がする。お前だけは、わしと父親の轍《てつ》ば踏んだらいかん。何かしら、村人のためになることをした庄屋になっとくれ。それが最後の言葉だったとです」

作之丞が突然黙り込んだ。絶句し、歯をくいしばっている。ようやく息を整え、続けた。「ですけんこれは、私ども一代の仕事ではなかとです。何代も前からの庄屋の悲しみと苦しみを、私らが引き継いでいると思ってもらったほうがよかとです」

紙屋仲蔵は作之丞の顔を見つめ、ゆっくり頷《うなず》いた。酌をしている女中に酒を持って来るように言いつける。

「堰渠造成が代々の庄屋の悲願じゃったことはよう分かります。ばってんその悲願は、お上には一向に届いとりまっせん。そこが私どもの何代にもわたる商売と違うところです。どう考えても、お役人としては降って湧《わ》いたような唐突な話になります」

主人は首を振り、哀れむような表情をした。「それに、事業は志だけでは成就《じょうじゅ》しません。御家の懐《ふところ》具合がかんばしくないのも、知っとかにゃなりまっせん」

紙屋の主人は五人の顔を代わる代わる見据えた。これだけは伝えておくという真剣さが、眉間《みけん》の皺《しわ》に現れている。

「ご公儀の歳入は、二つに大別されます。第一は、あなた方が苦労されているからよく分かっとるはずですが、年貢《ねんぐ》と夏物成《なつものなり》、そして千石夫銀です」

さすが商人だけあって、紙屋仲蔵は百姓が納めるべき賦課《ふか》をよく知っていた。夏物成とは、夏の収穫物への年貢で、江南原の場合、菜種で納入していた。千石夫銀のほうは、千石あたり一人の夫役を出す代わりに、代銀で支払う取り立てのことだった。生葉郡の村々では、人足ひとり、つまり千石につき銀子三百五十匁《もんめ》と決まっていた。

「第二が、私ら町人に課せられとる運上銀です。酒屋の場合は一石につき銀二匁になっとって、紙屋では毎年九十石扱っとるので、銀百八十匁を七月と十二月に分けて払っとります。行商して歩く振り売り商人は年間六匁、鉄砲打ちも一挺《ちよう》につき三匁、その他、ありとあらゆる商売に運上銀が定められとります。筑後川で投網《とあみ》をしとる漁師も、わずかながら払っとるはずです」

助左衛門は、主人が自分の店の懐具合を淡々と口にするのを見て、この男は耳の痛いことは言うが、信用できると思った。

紙屋仲蔵は五人の庄屋が黙って聞き入るのを確かめ、さらに身を乗り出す。

「ご家中がこれだけの歳入を工面しても、その中味はうまく立ち行っておらんとです。初代春林院様が、久留米に転封になって最初にされた仕事が、荒れとった城の再普請《ふしん》です。周知かも知れませんが、もともとこの城ば何とか住めるように改修したとは、毛利一族の小早川秀包《ひでかね》公で、豊臣時代に、四国宇和からの転封でした。秀包公はキリシタン大名で、関ヶ原の役では西軍にくみしたため没落しとります。代わりに岡崎城主から筑後国主になったのが田中吉政公です。吉政公は、織田信長公の足軽から身を起こして秀吉公に取り立てられたお方ですが、関ヶ原では東軍に属したとです。そこで西軍総大将の石田三成《みつなり》殿を生け捕るという功績を上げて、筑後国一国の拝領となりました。

しかしこんときの居城は、久留米じゃなくて柳川じゃったとです。田中家は二代の忠政公が嗣子《しし》ができんままに病いに倒れられて、柳川城には前の領主じゃった立花宗茂公が復帰された。一方、久留米の城主にならっしゃったのが春林院様で、転封の翌年の元和《げんな》七年、今から四十二年前のこつ」

紙屋の主人が一同を見回したので、助左衛門は頷く。さすがに柳川と久留米の両方で商売を成り立たせてきた酒屋だけあって、助左衛門たち庄屋よりはよほどお上の移り変わりに詳しかった。

「しかしこの四十年間に、金のかかるこつばっかり起こっとります。何といってもまずは城の体裁ば整えなきゃなりません。あれは慶安二年でしたから、今から十年ちょっと前です。町人も百姓もこぞって駆り出されたでしょうが。年明け早々、三ヵ月かけて東側と北側の外濠《そとぼり》ば掘り下げ、築地《ついじ》を高うしました。あなた方の生葉郡からも大勢人足を出されたとではなかですか」

大庄屋の又左衛門が頷き、助左衛門たちを見た。確かにそのとおりで、あの年、十日間交代で、村中すべての家から一人の人足をさし出した。もちろんお上からの手当ては何もなかったが。

「その他にも、大坂城の手伝普請、江戸城の修理、日光東照宮の修築も、公方様より命じられとります。そのちょっと前には、島原出兵があったでしょうが。こういうのは、いわば仕方のないお上から命ぜられた出費です。思いもかけんじゃったのが、明暦三年の江戸の大火です。江戸上屋敷の辰口《たつぐち》邸が類焼に遭っとります。急ぎ建て直した矢先、二年後の万治二年にもまた火事があって、類焼です。それで、ついこの前の寛文二年、それまで仮住まいとして使っとった三田邸を上屋敷にするべく、お上に要請、正式に芝三田邸が認められ、邸内を修築中だと聞いとります。

つまりあれやこれやの出費で、お上の懐は冷え込み、今現在、借銀でようやく持ちこたえとると言ってよかとです」

紙屋伸蔵はこれからが本題だという顔で、声を低めた。「借銀は上方でやられとります。領内で収穫された米は大坂に廻して、米相場を考えながら売るとですが、それだけでは物入りを支えきれんとです。それで将来の米を担保にして京都、大坂で借銀するとですが、その利息銀がまた馬鹿《ばか》になりまっせん。数年前からは、長崎でも借銀をするようになったと聞いとります。勘定奉行も銀奉行も頭をかかえとるというのが、正直、今の懐具合です」

「やっぱりそうでしたか」

平右衛門が背中を丸めて頷く。「紙屋様は江戸入用参勤交代の費用については触れられんでしたが、あれも相当なものでっしょ」

「すんません。当然のこととみなして口にしなかったとですが、参勤交代と江戸での入用銀で、全勝手方の四割を占めとるとです。これがなければ、借用銀なんかせんでもよかとでしょうが、参勤交代は大公儀様の決まりですけん」

「お上の台所は火の車ち言うことですな」

作之丞が酔いも醒《さ》めたというような青白い顔で呟《つぶや》く。

「その火の車は、家臣も例外ではなかです。私どもの店でも、貸し売りがだいぶあります。売り掛けの分は、六月と十二月に取り立てに屋敷までうかがうとですが、全部払ってもらえるこつはまずありまっせん。半分か、前の年の分だけとかで、貸しがまっていくことのほうが多かとです。気前良く払って下さるお方があっても、それは高良山銀からの融通のこつがあります。高良大社から借りた銀です。つまり、家中は上から下まで借銀漬けというこつです」

紙屋の主人は、助左衛門たちに酒を勧めるそばで、財政の逼迫《ひっぱく》ぶりを累々《るいるい》語り続け、最後を締めくくるように居住まいをただした。

「ですけん、私から言うのもなんですが、今回の堰渠工事の請願をお上が承知するとは、とても思えんとです。ほんに気の毒なこつですが」

紙屋仲蔵は助左衛門たちの顔を今一度ひとりひとり見回してから、溜息をついた。

「重々、お話はよう分かりました」

口を開いたのは平右衛門だった。「お上に迷惑はかけられんち、初めから覚悟はしとったのですが、今の仲蔵殿のお話で、一層決心ば固めました」

「というと」主人が解《げ》せぬ顔をする。

「一切の費用は、私ども五庄屋が受け持つことにしとります」

紙屋仲蔵が信じられないという顔になり、脇《わき》にいた大庄屋又左衛門の方を見た。

又左衛門が間違いないというように顎《あご》を引く。

「そげなこつでしたか」

主人は溜息を漏らした。「そうなると話は別ですが、なまなかの出費じゃなかと思います」

「身代はすべて潰《つぶ》すつもりでおります」

作之丞が言い、次兵衛も隣で頷く。

「私どもが願っとるのは、お上で堰渠造成の号令ば出してもらうこつです」

助左衛門が言い添える。「お上の命令が下れば、工事に反対しとる庄屋たちも、従うしかなかですけん」

「反対の庄屋もおるとですか」意外な顔をしたあと主人は自分で頷く。「そりゃおるでしょうな。賛成すれば懐が痛むち思うのが人の心の情なかところです」

よく分かったというように、紙屋伸蔵は初めて口元をゆるめた。黙って酒を六人に勧める。

「そういう覚悟があったとは知らんで、失礼なこつば言ったかと思いますが、許してつかあさい」

「そげなこつはございまっせん」平右衛門が首を振る。「おかげで覚悟が固まりました」

「しかし」と紙屋仲蔵はいったん考えてから言葉を継いだ。「生葉郡にいる、いや江南原三郡にいる庄屋はたった五人じゃなかでしょう。全部合わせると百人くらいにはなるとじゃなかですか。他の庄屋にもどうして出費させせんとですか」

厳しい顔をしたあと、紙屋仲蔵ははっと気がついたように表情を変えた。その一点を強く問い詰めれば、無策に近い大庄屋の又左衛門を責めることになると思い当たったのだろう。居住まいを正して続けた。

「ばってん、あしたの召喚では、この費用については、お上の顔をつぶさんごと、あくまで下から言わんといけまっせん。費用は自分たちが出すけん、文句はなかろう、という態度はくれぐれも見せんごつしなされ」

「ありがとうございます」五人とも頭を下げた。

お上に面目を保たせながら、認可をものにする――。主人が言うように召喚では慎重な受け答えが要求される。しかしそれは、そう簡単なものではないように助左衛門には思われた。


朝方、粥《かゆ》が出た。前の晩しこたま食べて飲んだ腹にはちょうどよく、むきあさりの醬油煮《しょうゆに》とともにすんなり腹におさまった。

髭《ひげ》も月代《さかやき》も剃《そ》り、髪を整えて、持参していた羽織と袴《はかま》を身につけた。思っていたとおり、又左衛門は裃《かみしも》に小脇差の正装だった。

出がけに、助左衛門と平右衛門は申し合わせて、銀四匁をこっそり主人に差し出した。

「これは受け取るわけにはいきません」

紙屋伸蔵が辞退するのを、平右衛門がなおも押しつける。

「思いもかけんもてなしを受けたうえに、心のこもった話ば聞かせてもらいました。あれで私ら五庄屋の気持は定まりました。これば突き返さるると、これから踏み出そうとする足が萎《な》えます」

平右衛門の真剣な迫りように紙屋の主人は頷く。

「分かりました。これは預かっときましょ。事が成ったあかつきには、利子ばつけて祝儀《しゅうぎ》をさせてもらいます。さ、行きなっせ。高村様のお屋敷はすぐそこですけん、手代が案内します」

主人は銀子を懐に入れ、店先に立って六人を見送った。

手代は両替町を濠沿いに進み、片原町から右に折れ、さらに左に曲がった。その紺屋町の突き当たりに郡《こおり》奉行の屋敷があった。手代に礼を言い、門番に又左衛門が来意を告げる。

門番は主人から聞いていたらしく、助左衛門たちを門外に待たせたまま、屋敷の方に走った。

門番と一緒に出て来たのは、下奉行の菊竹源三衛門だった。朝のうちから郡奉行の屋敷に来て待ち受けていたのだろう、裃の正装だ。助左衛門たちは腰をかがめて頭を下げる。

「長か道のり、大変じゃったろ。御奉行様はすぐ来られる」

「召喚はこの御屋敷であるとではなかですか」又左衛門が訊《き》いた。

「五庄屋への取沙汰《とりざた》は、次席普請奉行の山村源太夫様がなさる。そこに上席の普請奉行丹羽様も来とらっしゃるはず」

心してかかれという眼で、源三衛門は助左衛門たちを見まわしたが、すぐに表情をゆるめた。「しかし硬くなる必要はなか。日頃からわしに話していたこつば、思いのたけ、それぞれ口にするとよか。わしも、末席に坐《すわ》っとるから、何かのときには助け舟ば出す」

やがて正装した高村権内郡奉行が玄関口に出てきて、助左衛門たちは両側に分かれて腰をかがめた。

「待たせた。行こう。山村様が待っておられるじゃろ」

権内は短く言い、先に立って歩き出す。後ろに源三衛門が従い、助左衛門たちはそのあとに続いた。

紺屋町を右に曲がって濠端に出た。もしかしたら濠向こうの城内にはいるのではないかと助左衛門は思い、身の引き締まるのを覚えた。

濠沿いに片原町と柳町を過ぎると、もとの両替町に戻る。紙屋伸蔵の店にも、既に客が出入りをしている。先刻の手代が店先に出て来て助左衛門たちを見、ぴょこんと頭を下げた。

両替町を過ぎると瓶屋《かめや》町になる。右前方に、濠を跨《また》ぐ橋が見えていた。

郡奉行が門番にひと言ふた言話すと、扉が開けられる。ここからが城内だ、木橋を踏みながら助左衛門は自分に言いきかせる。大庄屋の又左衛門にしても城内にはいるのは初めてのはずだ。その証拠に、五庄屋同様口もきかずに奥にある内門を見上げた。

高村郡奉行の姿を見ただけで、控えていた門番が木戸を開く。菊竹下奉行が郡奉行に続き、又左衛門を先頭にして五庄屋が内にはいる。奇妙な静けさがあたりを支配していた。

正面と右側に三、四間の高さで石垣があり、左側には大きな建物が二棟、石段の上に建てられている。正面横に〈武術稽古所《けいこじょ》〉と書かれた看板が下がっていた。その上の段にある社《やしろ》のような建物は、子弟のための学問所のようだった。

道はゆるい坂をつくりながら前方に延び、突き当たりは再び大きな門で閉ざされる。このあたりに重臣方の屋敷があるとすれば、門の先は三の丸、二の丸と連なっているのに違いない。助左衛門は川船から眺めたときの城壁のたたずまいを思い浮かべた。

「こっちですぞ」

突っ立っているばかりの助左衛門たちに向かって下奉行が声をかける。

門をはいった際に見た石垣の後方に回っていた。とすれば、この二間ほどの厚みをもつ石垣は、戦いのとき、城外から攻め込む敵に対して楯《たて》の役目を果たすものだ。

掃き清められた道がまっすぐ延び、両側に大きな屋敷が連なっている。その一番手前の屋敷の前で、郡奉行と下奉行は裃の襟と袴の裾《すそ》を正した。助左衛門たちもそれにならう。

門柱に〈山村〉という表札が打ちつけてあるのを助左衛門は確かめた。門は開いていて、中にはいると、松とつつじの植え込みが見えた。左側は塀で、玉砂利の敷かれた細い通路の先に藁束《わらたば》が積まれ、その真中に標的があった。なるほど玄関脇から弓を射るにはちょうどよい距離になっている。屋敷の主人は弓が得意なのかもしれなかった。

「お前たちはここで待っておれ」

郡奉行が言い置き、下奉行と一緒に玄関の中に足を踏み入れた。

助左衛門は改めて屋敷の中を見回す。濠の外の家々はたいていが藁葺《わらぶ》き屋根だった。郡奉行の家とて例外ではなく、主屋《おもや》だけが瓦屋根《かわら》になっていた。濠の内はすべて瓦葺きであり、土塀の上にさえ、板でなく瓦が載っている。植木の手入れも行き届き、通路は平石が敷かれ、その間を玉砂利が埋めていた。

「待たせたのう。こっちへ」

玄関から出て来た源三衛門が六人を導く。

源三衛門は奥の庭の方に向かってゆっくり歩き、途中で振り返った。

「よかな。あとで後悔せんごつ、思ったこつは言わんと」

「分かりました」すぐ後ろにいた平右衛門が答え、助左衛門と顔を見合わせる。思いのたけを言うのは当然だが、〈お上の顔をつぶさんごと〉と言った紙屋伸蔵の忠告もまた大切だと、助左衛門は思った。

石畳を踏んで屋敷の横手に回る。築山《つきやま》に相対して縁側があり、奥の板戸が開いていた。畳敷きの大広間が見えた。

「さあ草履ば脱いで」

源三衛門が手本を見せ、板段を上がった。「庄屋たちはそこに一列に並ぶように。大庄屋はそっちの畳に坐って」

そう言った源三衛門は、大庄屋とは反対側の畳の上に胡座《あぐら》をかく。

板張りに五庄屋が正座し終わったとき、襖《ふすま》の後ろで咳払《せきばら》いが聞こえた。助左衛門たちは頭を下げる。

襖が開き、しばらく衣《きぬ》ずれの音がしたあと、源三衛門の掠《かす》れ声が耳に届いた。

「普請《ふしん》奉行のご両名にあられる」

助左衛門たちは頭を一様に板敷きにつける。

「大庄屋田代又左衛門、五庄屋たちばひとりずつ紹介するように」郡奉行の声が響く。

「かしこまりました」

又左衛門の声も硬ばっていた。「向こうから生葉郡清宗村庄屋、本松平右衛門。その横が高田村庄屋、山下助左衛門」

助左衛門は頭を低くして少し上体を起こしたが目は伏せたまま、大庄屋が作之丞、平左衛門、次兵衛の名を口にするのを聞く。

「もう顔を上げてよか」

郡奉行のひと声で助左衛門は上目づかいに前を見た。

中央に坐っているのは小柄で白髪の侍だった。おそらくそれが丹羽頼母普請奉行に違いなく、その右側には五十半ば、紺の裃も真新しく恰幅《かっぷく》のよい侍が、鋭い目つきでこちらを見やっていた。高村郡奉行は少し離れて左側に坐っている。

「長か道中、大変じゃったの」

郡奉行の声が響き、助左衛門は右側の平右衛門にならってかしこまる。

「そなたたち五庄屋の嘆願書は、お殿様にも聞き届けられとる。しかし何分、この大事業に関与されるのは、ここにおられるお二人の普請奉行、丹羽頼母様と山村源太夫様だ。これから、そなたたちに御下問がある。肚《はら》の底ば打ち割って、後悔のなかごつ答えてくれ」

権内が五人の顔を見ながら言ったあと、奉行二人の方に向き直って一礼した。

山村普請奉行が口を開く。太り肉《じし》にしては高い声だと助左衛門は思った。

「嘆願書にも書かれていたが、堰渠《えんきょ》造成を思い立った理由ば、お前たちの口から改めて聞かせてもらえんか。まずはお前から」

山村源太夫が一番端に坐った平右衛門を正視する。これはひとりずつ、同じような下問があるに違いないと、助左衛門はかしこまりながらも身構えた。

「清宗村庄屋の本松平右衛門にございます」

平右衛門の肚の底から出る声が響く。全く震えがなく、助左衛門は平右衛門の覚悟の程を察した。

「ご承知のごとく、私どもの村は、領内における筑後川の上流における川の南、つまり生葉郡、竹野郡、山本郡を合わせた江南原のちょうど真中に位置しております。これもご承知のように、江南原は北に大河を臨みながら、土地が高く、川の水位が低いために、筑後川からの灌水《かんすい》が全く不可能でございます。わずかに頼れるのは、耳納山の東に発する隈上川と、耳納山から流れ下る水を集める巨瀬川しかございません。しかし隈上川はもとより水量少なく、巨瀬川もしかりです。この巨瀬川に至っては、小さなやかんと同じです。先般の大雨がよか例でしたが、耳納山を下る水が多ければ、たちどころに氾濫《はんらん》してしまいます。これも耳納山の水もちが悪かためで、雨は戸板に降ったのと同じ調子で山肌を下って、巨瀬川に流れ込むとです。雨の量が多かと、あちこちで鉄砲水がおこります。巨瀬川の近くにある村々は、雨が降るたび、戦々兢々《せんせんきょうきょう》としなければなりません。その反対に日照りが続くと水位が下がって、ちょろちょろの流れに変わります。水を田畑に引くにも、手が届かぬ低いところに水が流れとります。このように川から見放されとるのが私どもの村々でございます」

ここで平右衛門は感極まったように一瞬声を詰まらせた。しかしすぐに大きく息を吸い込んで続けた。

「ですから、私どもの村では、桶《おけ》を天秤《てんびん》にして巨瀬川から水を運び田畑に運ぶのが日課になっています。農作業の半分がこの水運びに費やされるといっても、過言にはなりません。土手を登り、河原に降り、また土手を登る往復を繰り返します。隣にいる山下助左衛門殿の高田村では、筑後川で打桶をやっております」

そこで平右衛門は助左衛門の方を一瞥《いちべつ》した。

「打桶とは」

山村普請奉行が首をかしげた。

「打桶は、下奉行と一緒に川岸を上った折、見たこつがあります」

助左衛門の代わりに答えたのは郡奉行だった。「両端に長い綱のついた木桶を土手の上から川面《かわも》に投げ落として、二人して引っ張り上げ、土手の反対側に流すというものです」

「そりゃ難儀な」普請奉行が眉《まゆ》を寄せる。

「私どもが行ったとき二人の百姓がおりましたが、ひとりは四十年、若いほうは五年打桶をやっとるとと言っとりました。打桶を受け持った百姓は、それば一生続けるらしかです」

「一生か」普請奉行はさらに驚く。

「そうです。日の出時刻川面が見える頃から、日が沈んで川面が見えんようになるまでやると言っておりました。さすがに一日中やると草臥《くたび》れきるので、日が高くなると村に戻って、田畑の仕事をするそうです」

郡奉行の返事を聞きながら助左衛門は感心する。自分からはつけ加える必要のないくらいの説明だった。

普請奉行は分かったという顔で、平右衛門に先を促した。

「このように水に恵まれない江南原三郡を救う唯一《ゆいいつ》の方策は、堰《せき》を造って筑後川の水位ば上げ、そこから水を引き入れ、新しく巡らせた溝渠に流し込み、田畑を潤《うるお》すこつだと思います。これが私ども五庄屋の切なる願いでございます」

平右衛門はゆっくりと言い切り、最後は深々と頭を下げた。

「よく分かった。次は高田村の庄屋の言い分ば聞こう」

普請奉行が頷き、鋭い目で助左衛門を見た。山村奉行は、五つの村の名と庄屋の顔をもう頭のなかに入れていた。

「高田村庄屋山下助左衛門でございます」

助左衛門は平右衛門にならって両手を床につき、頭を下げた。そのあとも手をついたまま顔を伏せ、続ける。

「この堰渠を思いついてから、私は隣にいる菅村の庄屋猪山作之丞殿と共に、御原郡の宝満川にかかる稲吉堰を見に行きました。稲吉堰は丹羽様が、十五年ばかり前に造られたものです。それは堅固かつ壮大な堰で、近くの村の庄屋を訪ねてみると、堰のおかげでおよそ七百町歩の田が潤ったと言っておりました。

むろん、宝満川と筑後川は川幅も深さも大きく異なります。しかしあの稲吉堰を造る技量があれば、筑後川を堰止めるのもできぬことではないと思ったのでございます。要する人手と出費も、稲吉堰とは比べられないほど大きいこつは覚悟しております。しかし成就《じょうじゅ》のあかつきには、恩恵を受ける田畑の広さは稲吉堰をはるかに越え、一千町歩から二千町歩になると見積もられます。田畑が水で潤えば、これまで荒畑だった土地も、新たに稲を植えつけることができ、出目《でめ》がでます。御家にとっては石高が増えることに相成ります」

助左衛門はここまで一気にしゃべり、瞬時板の木目をみつめたあと続けた。「田畑が潤い、出目が生じることは、堰渠のひとつの目的ではあるとですが、高田村庄屋の私としては、さきほどお話のあった打桶を、私の代で終わらせたかとでございます。私の父、祖父の時代はもちろん、その前の曾《そう》祖父の時にも打桶を受け持つ百姓は、代々庄屋の荒使子《あらしこ》が引き継いで参りました。荒使子の中から、足腰が強く、性根がまっすぐで、牛のようにねばり強か気質の者ば選んで、打桶を任せるようにしとります。そのような役目をつくるのは、もう私の代で終わらせとうございます」

助左衛門は下げた頭を上げる。

「助左衛門、私が見た打桶の百姓、若かほうはどっちかの足をひきずっとったのう」

郡奉行が合いの手を入れるように訊《き》いた。

「郡奉行様が打桶ば見られとるとは、恐れいります。あの若い荒使子は子供のときに足を患《わずら》ったとですが、こちらにいる平右衛門殿の手当てで、何とかあのくらいまで快《かい》癒《ゆ》しとります。走るのは劣りますが、打桶はすぐに覚え、今では古株の荒使子のよか相棒になっとります」

「あの百姓の父親は、島原の役で命ば落としたと聞いとるが」

郡奉行がそこまで知っているとは、助左衛門も驚き、思わず眼を上げた。

「はい。深手の鉄砲傷ば負って、村継送りで帰って来る途中、筑後川の船渡しの手前、肥前領内で死んどります」

助左衛門は声を落として答える。まさかこうした下問の場で、助一の話をするはめになろうとは思いだにしなかった。

「島原の役といえば、源三衛門、そなたの子息も討死したとではなかったか」

山村普請奉行が、斜め前に坐《すわ》る菊竹源三衛門に初めて口をきいた。

「はい。恐れ入ります」

背をかがめてそれまで黙っていた下奉行は、上体を折って短く答え、「やはり鉄砲傷でございました」と小声で結んだ。

「分かった。次は菅村の庄屋の胸の内ば聞かせてもらおう」山村普請奉行が促す。

「猪山作之丞でございます」

作之丞の声は身体相応に大きかった。「私の胸の内は、もう平右衛門殿と助左衛門殿が口にされたことと同じですけん、ほんの少しつけ加えさせていただくのみです。私の住む菅村は筑後川と巨瀬川のちょうど真中にあって、水桶を天秤にして川から運ぼうにも、両方から遠く、江南原の村々の中でも、一番水から見放されとる村じゃなかかと思います。少しでも日照りが続くと、田畑はからからに乾き切り、水を運んでかけない限り、地面にひび割れが起こるとです。そいでも、年貢《ねんぐ》の量は決まっとりますけん、年貢米をおさめると、もう村民のもとには米は一粒も残らんこつがあります。

かつかつで残らんくらいなら、村民は稗《ひえ》や粟《あわ》、大根、麦ば食べて、なんとか翌年まで持ちこたえればよかとですが、日照りが続いたり、今年のように洪水に見舞われますと、もう年貢米を納められなくなります。そげなときは、他の庄屋に泣きついて米ば貸してもらって納めたり、娘を売ったりして米を集める百姓も出ます。借りた米には利子をつけて翌年払わねばならんので、村民は祈るような気持で毎日空ば見上げ、程よか日が照り、程よか雨が降ることばかり願っとります」

作之丞は両手を床につき、顔は伏せていたが、声の大きさは衰えるどころか、息を継いで口を開くたびに張りを増した。

「亡父の願いは、郡役所による検見《けみ》と上見でした。その年の作柄に応じて年貢の率ば決めるか、作柄の悪か年は年貢の割りつけを減らすようにすれば、村人たちは日照りの年でも食いつないでいけます。父親は病いの床についてから、いつも悔いとりました。自分は民のために何ひとつやれんじゃった。せいぜいやれたのは、雨乞《あまご》いをするくらいじゃった。お前にはこの無念さは味わってもらいとうない。何かしてやってくれんか、と手を取って死んでいったとでございます。

ですけん、旱《かん》ばつのたびに、私は郡役所に嘆願書ば書いて直訴しました。こん無礼はどうか許して下さい。もう今後は年貢の嘆願書は書きません。その代わり、このたびの堰渠の嘆願をどうか、お聞き入れ下さるよう、ここに伏してお願い申し上げます」

最後は作之丞の声は震え、床につけた頭をなかなか上げなかった。ようやく上体を起こしたとき、床に涙がひとしずく落ちているのを助左衛門は見逃さなかった。

「この菅村の庄屋は、今年の春、棒晒《ぼうさら》しの刑にあっとります。のう、源三衛門」

郡奉行が普請奉行に告げ、下奉行に顔を向けた。

「確かに日の出から日の入りまで、菅村の村はずれで晒しました。嘆願書を出すのが度重なりましたので」

菊竹源三衛門はしわがれ声でゆっくり答えたが、庄屋を責めたてる口調ではなかった。

「分かった。隣は今竹村の庄屋だったな」

山村普請奉行が促した。「そなたの胸の内はどうか」

「はい」

平左衛門が両手をついたが、声が上ずっている。「今竹村は、ここにいる五庄屋の村のうちのちょうど真中に位置しとります。先程、作之丞殿が先代庄屋のご遺言を口にされましたが、我が父、祖父、いえその前の曾祖父、玄祖父からの願いは、今竹村の田畑の一部ば潰《つぶ》して、溜池《ためいけ》ば造るこつでした」

懸命に言っているうちに声は落ちつき、いつもの平左衛門の口調に戻る。助左衛門は胸を撫《な》でおろした。

「筑後川からも巨瀬川からも遠いので、大きか溜池を掘って、そこに降った雨ば貯《た》めればよかと思ったとでしょう。日照りのときは、そこの水を汲《く》んで、田畑にかければ、川まで行くより楽です。溜池を造る場所は、庄屋が持っとる田畑を潰せばすみますけん、そん場所は私も父親から教えられとります」

溜池の話は助左衛門も聞いたことがなかった。おそらく、今竹村庄屋代々の口外無用の企てだったのだろう。助左衛門は耳をそばだてて、平左衛門の話に聞き入る。

「しかし溜池を造るにも田畑を潰すので、郡役所の許しがいります。人足もいります。村人だけの労力では、何年かかるか分かりません。そこで、機が熟したときに、郡役所に願い出て、お許しが出れば、他から人足を雇い入れて、一気に溜池ば造ってしまおうというのが、先祖代々の企てだったとです。

ところが、このたび嘆願に及びました堰渠工事は、溜池ば造るよりも、何倍もの益があります。しかも恩恵ば受けるのは今竹村一村ではございません。ですので、乏しいながらも、先祖代々が爪《つめ》に火を灯《とも》すようにして貯《たくわ》えてきた身代を、私がすべてこの工事につぎ込んでも、先祖から喜ばれこそすれ、恨まれることはございません。

私は父親から庄屋を引き継ぐ前から病弱で、庄屋の役が務まるか心配されとりましたが、このとおり不惑の年を越えるまでなんとか永らえてきました。ひとつだけ胸を張れるのは、節約をむねとして、父親から引き継いだ身代を減らさんで、少しばかりはつけ加えることができたことです。堰渠ができれば、もう思い残すことはありません。今竹村庄屋重富は、つぶれてもよかとです。私が最後の庄屋になるかもしれんこつは、もう先祖代々の墓に参って伝えてきとります。

お二方の普請《ふしん》奉行様、郡《こおり》奉行様、下奉行様、どうか私どもの訴えを聞き入れて下さるよう、重富家先祖代々の願いを重ねて、お願い申し上げます」

最初は上ずっていた平左衛門の声は、最後には堂々とした口上に変わっていた。

山村普請奉行は頷《うなず》いてひと言も発せず、隣に控える丹羽普請奉行を見やった。何かありますかという表情だったが、上席奉行は顔色ひとつ変えず、じっと平左衛門の様子を眺めるばかりだ。

「最後になったが、夏梅村の庄屋、そなたからも胸の内を聞こう」山村普請奉行が言った。

娘婿《むすめむこ》である次兵衛がうまくしゃべれるか、助左衛門は気にしながら耳をすます。

「夏梅村の庄屋、栗林次兵衛でございます」

日頃と変わらぬ落ちついた声に、助左衛門はほっとする。このまま無事に口上を終えて欲しかった。

「私の前に、清宗村本松平右衛門殿、高田村山下助左衛門殿、菅村猪山作之丞殿、そして今竹村重富平左衛門殿の四方が、思いのたけを述べられたので、若輩の私はさしてつけ加えることも見当たりません」

次兵衛は澱《よど》みなく言った。年長の庄屋たちの顔をうまく立てているのにも、助左衛門は満足する。

「ただひとつ申し上げるとすれば、私どもは身代はもちろん、命をも賭《と》す覚悟でおります。万が一、この堰渠《えんきよ》の事業が私どもの手違いで失敗した折には、どうか打首なり、磔《はりつけ》の刑なりに処して下されて結構でございます。覚悟は充分にしております」

次兵衛はそこで頭を床につけ、ひと息、ふた息継いで、わずかに上体を起こした。

「もうひとつ、最後に申し上げたいこつは、この堰渠の大工事が始まったあかつきには、私ども五庄屋の村民はすべて人足として馳《は》せ参じるつもりにしております。この件につきまして先般、私の家に村の全戸から戸主を集め、その旨《むね》賛同を得ております。どうかこの三点を勘案されて、賢明なご判定を下されるよう、重ねてお願い申し上げます。賢明なご判定は、今後百年、三百年、いえ五百年の永きにわたって、江南原の百姓に神仏の加護にも等しい恩恵を与うるものと信じております」

やったぞ次兵衛、さすが婿じゃと、助左衛門は心の内で手を叩《たた》いていた。助左衛門にしても、全村民を集めて事情を説明し、覚悟を求める段取りまでは、まだしていなかった。右隣の平右衛門もふうっと肩の力を抜くのが分かった。

「ようく分かった。そなたたちの覚悟のほどを聞いて、ここに五人を呼んだ甲斐《かい》があった」

山村普請奉行は五人を見まわしたあと、顔を引き締めた。「これほどの大工事に公儀が乗り出すとなると、失敗は許されん。堰が崩れたり、土手が破れたり、逆に田畑が水浸しになったりすれば、上様及び家中が笑われ、筑前公、肥前公の耳にもはいり、下手すれば江戸表でも笑い物にされんとも限らん。やるとなれば、絶対失敗は許されん。

それにあのあたりの筑後川は、筑前領との国境にもなっとる。上流のほうは豊後領だ。堰を設けるとなると水位が上がるので、当然、前以《まえも》って伺いもたてておかんとならん。場合によっては、対岸の土手の補強や、水刎《みずはね》の設置まで要求されんとも限らん。

三つめは、堰に溝渠はつきものだが、溝渠を造るためには、耕地を潰さねばならん。

先程、今竹村の庄屋から溜池の話が出たが、やはり田畑が削られる。田が削られれば、石高も減り、家中としてはそのままでは黙認できん。他方で、田畑を削られた百姓も当然納得がいかんじゃろ。水の便が良くなるこつは分かっとっても、あっちの百姓は田を潰さんで水ばかりもらい、良か思いばっかりしとる、ということになる。ここはもうお上の評定で進めるしか策はなか。

四つめは、これが実は一番肝腎《かんじん》なこつかもしれんが、かかる費用だ。そなたたちは知らんと思うが、当家に余っている金はない。それどころか、江戸や大坂で借銀をしているくらいだ。今竹村の庄屋の口から、堰渠については自分の身代を投げ出す覚悟である旨聞かされたが、間違いないか」

普請奉行は五庄屋に問いかける。

「間違いございません」一同が答え、頭を下げた。

「それで、そなたたちは、どういう見積もりをしとるのか、聞かせてくれんか」

当初お前たちと言っていた普請奉行の口ぶりが、そなたたちに変わったのに助左衛門は気がつく。

「恐れながらあくまでも大雑把な算段ではございますが」答えてくれたのは平左衛門だった。「人足ひとり当たりの日用銀ば百文として、人足の数は一日五百人と見込んで、五十貫、十二両半となります。これに賄《まかな》い代、杭木《くいぎ》や竹、厚板、山石、割石、石俵などの購入費用ば入れて、一日につき二十五両を見込んでおります」

確かに一日当たりひとりの庄屋の負担分は五両くらいになると、数理に長《た》けている平左衛門から前以って説明は受けていた。助左衛門は普請奉行がどういう返事をするか、待った。

「そりゃ、そなたたちでは無理もなかが、かかる材料を軽く見過ぎる。水底に沈める井桁《いげた》や石船《いしぶね》も作らにゃいかん。わしたちがざっと見積もっても、竹は千束、山石六百坪、割石百坪、石俵六千、六尺杭木三千木、松の角材五百木、楠板《くすいた》五十枚──」

普請奉行の口をついて出る材料の多さと、数の多さに、助左衛門は上体をのけぞらしそうになった。平左衛門が計算した一日二十五両、つまり庄屋ひとり当たり一日五両ではすまなくなる。一日十両になることはないだろうが、七、八両に増える恐れが充分にある。助左衛門は背筋が冷たくなるのを覚えながらも、一方で、普請奉行が既にこのように細かい算段をしていることに、手ごたえを感じた。嘆願書をはなから突っぱねるのであれば、ここまで詳しい数は出ないはずだ。

「それからもうひとつ、そなた、人足の数を五百人としておったが、大小二つの堰、溝渠の総延長およそ七千間をたった五百人の人足でやるとすれば、三年じゃすまんじやろう」

「はっ、雇い入れる人足が五百人で、私どもの村々から女も含めて百人ずつ、五百人は出せると思っとります」平左衛門が弁解気味に答えた。

「合わせても千人。そいでも二年はかかるかもしれんな」

普請奉行がどこか勝ち誇ったような声を出した。平左衛門が言葉を失い、助左衛門も話が振り出しに戻ったのを感じた。

「としますと、一日の人足はどのくらい見積もればよろしゅうございましょうか」

健気にも次兵衛が尋ねていた。

「だからそれは、工事の長さによる。普段の田作りをやめてまでも、堰渠工事はできん。年貢納めがすみ、田植えにはいる前に終えんとならん。とすると長くてみ月弱、短くてふた月。人足の数はさきほどの十倍はいる」

千人の十倍で一万人。大きな棒で頭を殴られたような衝撃だった。そうすると一日あたりの庄屋の負担額も十倍か二十倍になる。五両が五十両あるいは百両、助左衛門は頭のなかでそう計算し、蒼《あお》ざめた。助けを求めるように、右前に端座している菊竹源三衛門を見やる。

下奉行は驚いた表情ではなく、静かな顔で成り行きを見守っていた。

平左衛門がうなだれ、黙り込む。隣にいる次兵衛がかばうように平左衛門の背に手をそっとやった。右隣の平右衛門も左隣の作之丞も助左衛門と同じ思いなのだろう、身動きせずに、無念さをかみしめていた。

「だがしかし」

山村普請奉行の一段と高い声が頭の上で響いた。「いざ堰渠造成と決まれば、人足はそれぞれの村で出してもらうことになる。総延長七千間近くば、百ヵ村くらいに分担すれば、一ヵ村あたり、七十間の長さになる。そのくらいは各村が自らの力でするじゃろ。また、せにゃならん。不足分の人足は御井郡と御原郡から雇い入れる。従ってこれは御当家の八郡全部から出夫する惣郡役《そうぐんやく》にはならぬ」

張りつめていた気持が一気にゆるむ。源三衛門が助左衛門の方を見、静かに頷いた。

「従って、他村から雇い入れて日用銀ば払わにゃならん人足の数は、せいぜい二百人くらいじゃろ」

そうなれば、杭や石代を加えても、平左衛門の見積もりと大差はなくなる。助左衛門は深く息をついた。

「それに、仮に領内から棟梁《とうりよう》たちを出すようなことがあれば、その日用銀くらいは、公儀持ちでもよかち思うとる」

山村普請奉行は言い、最後に「それでどうかな。いや堰渠造成がこれで決まったわけでなく、仮にと言ったまでだ」と加えた。

「かたじけのうございます」

平右衛門が肚の底から絞り上げるような声で言い、頭を下げる。助左衛門たちもそれにならった。

「丹羽様、何かござりませぬか」

五庄屋が上体を起こしたとき、横に控えていた丹羽頼母に山村源太夫が訊《き》いた。上席の普請奉行は、それまでひとことも口を開かなかったのだ。まるで置き人形のように身動きせず、背をかがめて五庄屋の顔を眺めていただけだった。

「先程今竹村の庄屋が言った溜池じゃが、あれは水を溜めておくばかりの役目ではない」

ゆっくりとしたしわがれ声が、はっきりと助左衛門たちの耳に届いた。「大水のときに、水の逃げ場所にもなる。こうした溜池が、たとえば巨瀬川の北の山あいに二十か三十もあれば、鉄砲水が山肌を下って巨瀬川を溢《あふ》れさせることも少なくなる」

なるほどそういう理屈かと、助左衛門は膝《ひざ》を打つ思いがした。諭すような口調はさらに続く。

「ところが溜池造成には大変な労力がいる。しかも掘り上げた土は、どこかに運ばねばならぬ。今竹村でも、まさか庄屋の庭先に積み上げるわけにもいかないだろう。せいぜい筑後川か巨瀬川の土手を高くするぐらいにしか使えん。運ぶのにも手間がいる。溜池といっても、これは難事業だ」

聞きながら、助左衛門は再び沈うつな気分に包まれる。どうやら上席の普請奉行は堰渠工事そのものに気乗り薄なのではないのか。抑揚のない口調、あまり動きのない表情がそれを表わしている――。助左衛門は心の内で歯をくいしばった。

「しかし溝渠を造って、水路を江南原の村々に網の目のように張り巡らせば、それが溜池の役目にもなる。溝渠は溜池の形はしていないが、形を変えた溜池と思えばよか。もちろん堰とつながっていての話だ」

淡々とした物言いは先刻と同じだが、中味が微妙に変化していた。助左衛門は前のめりになりながら全身を耳にした。

「日照りのときでも水門さえ開いておれば、溝渠は溜池と同じ。大水のときは水門を閉じて、溝渠は余った水をそこに集める溜池になる。しかも、溜池が三十、四十とつながっている仕組みなので、互いに融通もきく。この溜池が一杯になれば、余った水は下流で筑後川に流れ込むことができる」

ここでも普請奉行の言い分に感心する。水路が溜池と同じだとは、助左衛門には思いもよらぬことだった。

「あの堰渠の絵図面を描いたのはどの者か」丹羽頼母が改まった声で訊いた。

「隣に控えている高田村庄屋、山下助左衛門でございます」平右衛門が重々しく答える。

「助左衛門、そなたは絵を習っておったのか」

「滅相もございません」

助左衛門は額を床につける。絵心もないのに、思い上がってでかでかと絵を描き、それを嘆願書に添えてさし出すなど、傲慢《ごうまん》の極みだったのだ。数々の工事をしてきた普請奉行にしてみれば、児戯にも等しい図だったに違いない。

「さし出がましいことを致しまして、申し訳ございません」

助左衛門は額を床にこすりつけたままで言った。

「そうか。確かにあれは、絵を誰かに習ったという筆づかいでもない。たぶん絵心もなかろう。何人かのお抱え絵師を知っておるが、美しい絵図は描けても魂のこもっとらんのがある。しかしそなたの絵図面には心がこもっておる。我流だが、溝の走りのひと筆ひと筆までに魂と志がこめられておる。郡奉行に聞くと、溝の流れは実際の目測と比べても狂いがないということだった。しかも朱で加筆された水路の見込図も、なるほどと思わせるものがある。特に秀逸なのは、大石堰の位置取りと、そこからの取水をいったん隈上川の下流に合流させ、そこに小さな堰を造って水かさを増し、さらに第二の水門で取水するという考えだ。自然に水量の調整ができるように考案されている。もうひとつ、その第二の水門のあと、水路を北と南に分岐させる仕掛けも、よう思いついたのう。

あれは江南原のあちこちに何度も足を運ばんことには描けん図面だ。頭のなかで考えた成果ではない。わしはあの絵図面を見ながら、つい頭が下がるのを覚えた」

「ありがとうございます」助左衛門は恐縮し、さらに平伏する。

「よかったのう。もう頭ば上げてよか」

近くにいた菊竹源三衛門が声をかけてくれた。

「それから、この嘆願書を揮毫《きごう》したのは、どの者だ」

丹羽普請奉行が懐《ふところ》から〈大石長野水道仕建進溝立願書〉の書付を取り出した。

「真中に控えている菅村庄屋、猪山作之丞でございます」

平右衛門が答え、助左衛門の横で作之丞がはじかれたように頭を床につけた。

「そなた、書は誰から習った」

「父でございます。箸《はし》と一緒に筆も持たされていたと、母から聞いたこつがあります」

「先代庄屋も能書だったか」

「はい、いえ。よく書いてはおりましたが、能書かどうかは――」作之丞は大きな身体《からだ》を縮めるようにして答えた。

「そうか。父はともかくとして、そなたが能書であることは間違いない。わしの家来の中でも、これほどの書き手は残念ながらおらん」

「とんでもないことでございます」いよいよ頭を低くして作之丞は這《は》いつくばった。

「能書というだけではなか。文そのものに力がある。わしは読んでいて、百姓の声がここにこだましているような気がした」

「恐れ入ります」

作之丞にならって、助左衛門たちも頭を床につける。作之丞の手をとって一緒に喜びたかった。

「ご苦労じゃった」

山村源太夫の声がする。「殿のご意向は旬日ののちに決まり、郡奉行を通じて達示がいく。それまで待つように。重ねて、ご苦労じゃった」

衣《きぬ》ずれの音がし、普請奉行二人が退出する気配があった。

「もうよか」

菊竹源三衛門から声をかけられ、助左衛門たちは上体を起こす。畳の間には三人が残っているだけだった。

「田代又左衛門も、付き添いご苦労」

郡奉行が言った。「もう帰ってよい。城門までは下奉行が案内する」

「それでは退出させてもらうが、郡奉行様にもう一度礼ば言うがよか。何もかも高村様のとりはからいじゃった」

「お骨折り、ありがとうございました」

五庄屋は深々と礼をし、立ち上がる。草履をはき、庭に降りたとき、植込みの奥で鈍い音がした。玄関先にまわると、若い侍が寒いのにもかかわらず片肌を脱いで、弓を射ていた。山村普請奉行の子息だろう。助左衛門たちが脇《わき》を通っても一瞥《いちべつ》だにしなかった。下奉行のあとについて山村邸を出た。

「菊竹様にお礼ば申し上げるのを忘れとりました」

城門の前で平右衛門が立ち止まる。

「いやいや、わしはただ坐《すわ》っとっただけじゃから」

そんなことはない。顔見知りの源三衛門が終始傍にいるだけで、どれほど心強かったか、助左衛門は身にしみて感じていた。

「それぞれ思いのたけを述べたごたった。あとは、果報は寝て待てだ」

源三衛門は門番に目配せして、通用門を開けさせた。外に出て、助左衛門たちはもう一度お辞儀をする。

もう城内には二度とはいることはあるまい。召喚ではあったものの、光栄と思えば光栄だった。父親も祖父も曾祖父も、代々庄屋を務めてはいたが、城内にまで足を踏み入れたはずがない。

「考えてみれば、あんたたちの申し立ては、水刎《みずはね》のようなもんじゃったな」

濠端《ほりばた》に出たとき、大庄屋の又左衛門が言った。「傍で聞いとって、そげな気がした。ほら、きのう筑後川ば下る際、いくつか水刎ば見たろう。岸から川の中に飛び出した突堤。勢いよく土手を削ろうとする水の力ばそぐるのが水刎じゃろ。堰渠に反対する力も、こん水刎で弱まったのは間違いなか」

なるほどそうかもしれなかった。川岸から突き出した五本の水刎が、流れの向きを変えたのかもしれなかった。

「主人はちょっと出かけておりますけん、着替えをされて、お茶でも飲んどって下さい。すぐ戻って参るはずです」

紙屋にはいると手代が言った。

「いやはや、人足の数が千人ではきかず、その十倍以上と言われたときは、身体が凍りつきました」

羽織を脱ぎながら作之丞が言った。

「すんません。私の算段が甘かったとです」平左衛門が謝る。

「そもそもの元凶は私です」助左衛門も詫《わ》びた。「水路の考え方が、お上とははなから違ったとです。私は、今ある溝にちょっと手を加えるだけだから、人足の数はさしていらん。重要なのは堰造りと思うて、溝渠のほうには眼が行っとりませんでした」

「一万の人足ちいうのには度胆ば抜かれました」次兵衛がまだ興奮醒《さ》めやらぬ口調で言った。「ばってんよう考えると、ひとつの村で百人出しても江南原全体では一万人になります。理屈にはかなっとります。一万人が一斉に溝渠造りに精を出すとなると、これは見ものでしょうな」次兵衛は最後には目を輝かせる。

「本来なら、惣郡役にしてもらうとよかですが」平左衛門がぼそりと言った。

「確かにそげんなると、人足全員が自腹になって、こっちが助かる」作之丞も頷《うなず》く。

「それは初めから無理なこつ。惣御郡割賦《かつぷ》出夫となると、公儀の工事になって、庄屋に出費させる理屈が崩れる」

平右衛門が重々しく念をおした。

確かにそうだ。助左衛門は、紙屋伸蔵が懸念していたお上の顔をつぶす云々《うんぬん》の話を思い起こす。費用の負担に関して、こちらがさし出がましいことを言ったとは思えなかった。総額いくらになるか明らかにせず、大まかな線でお互いが手打ちをしたような気がする。

紙屋伸蔵が帰ったら、まずそれを伝えて安心させたかった。

四　夫《ぶ》役《やく》

二日前から降り出した雪で、どこもかしこも白一色になっていた。城内に呼び出されたのがわずか四日前だった。雪になったとき、これは幸運だったのだと助左衛門は思い、神仏の力が働いているような気がした。雪の中を城下まで往復するなど、難儀この上ない。歩くのが苦手な大庄屋は言うまでもなく、病弱な平左衛門など、帰りつくや寝込んだかもしれなかった。

郡《こおり》役所からの達示はまだ来ていない。旬日ののちと言われたので当然だろうが、あまりに遅くなると、起工はそれだけ遅れてしまう。夫役を出せるのは田に出なくてよい一月からせいぜい土用明けの三月半ばまでだ。一月なら、潰《つぶ》れ地の普請《ふしん》、道普請、野樹伐出《きりだ》しの他、縄ない、莚《むしろ》編みが主で、田では畑の麦に下肥をかけるくらいの作業しかない。二月も蓑《みの》、莚、縄などの藁《わら》仕事が主だ。田に時折は薄い下肥をかけたり、枯草を敷く程度だ。畑は麦に追肥をやり、牛蒡《ごぼう》や高菜を植えつければよかった。

しかし三月にはいると、田畑でやらねばならない労役が急に増える。苗代《なわしろ》を鋤《す》き出す一方で土用前に種籾《たねもみ》を水に浸し、それが終わると苗代を掻《か》き、種籾を蒔《ま》く。そして畦《あぜ》塗りが始まる。

　畑では中打ちをして草を取り、茄子《なすび》の苗を植える。瓜《うり》や南瓜《かぼちや》、胡瓜《きゆうり》の種蒔きが終わると、すぐ麻や綿の種も蒔かねばならない。

　従って、堰渠《えんきよ》の工事は少なくとも三月中旬には終了しなければならない。畑の種蒔きは少々遅れたとしても、種籾蒔きだけは、遅らせてもせいぜい十日だ。時期をはずすと、その年の年貢《ねんぐ》が全く納められない事態に立ち到《いた》る。

　山村普請奉行は工期の長さは明示しなかったものの、一月から三月にかけて仕上げなければならないことは、充分分かっているようだった。

　今年の正月元旦《がんたん》は、簡素にするに越したことはないと、助左衛門は思い定める。嘆願が却下されれば、元旦を祝う気持などはなくなり、許可が出れば出たで、夫役の準備と割り当てで正月気分は吹き飛んでしまう。

　たとえ許可が出たとしても、果たしてこの大工事をみ月足らずで終えることができるだろうか。助左衛門の完全な見込み違いは、水路の規模だった。助左衛門自身は、既存の溝を多少広げるくらいですむと考えていたのだが、普請奉行の思惑では、それよりはるかに立派な水路を造成するようになっている。助左衛門の頭のなかでは、堰《せき》さえできればあとはどうにでもなると、たかをくっていたきらいがある。実際は堰以上に、溝渠造成も重要だったのだ。

助左衛門は、降り積もる雪を眺めながら、もうひとつの懸念《けねん》を払いのけられないでいた。堰渠に反対している糸丸村その他の村からは、その後何も言っては来ていない。それが却《かえ》って不気味だった。三田藤兵衛に与《くみ》して反対の意向を持つ庄屋は、古川、朝田、長野、福久、角間、橘田、小江、上宮田、下宮田、徳丸の各村で、糸丸村と合わせると十一ヵ村だった。その後また増えたという噂《うわさ》も耳にはいってくる。助左衛門が特に気をもむのは、隈上川に設ける長野堰と長野水門を造成する長野村、そして水路の分岐点になる角間村が、それぞれ反対にまわっている点だった。その二ヵ村の協力がなければ、堰渠工事は成立しない。

城下からはまだ何も言ってこない。菊竹下奉行は、果報は寝て待てと言ってくれたが、正月が近づくにつれて居ても立ってもおられないというのが正直な胸の内だった。かといって、こちらから催促できるわけでもない。

おそらく他の四庄屋も同じような気持でいるに違いなかった。

「旦那《だんな》様」

声がするので縁側の端まで出てみると、雪をかぶりながら、長吉が膝《ひざ》をついていた。

「何だ。もう少し大きな声ば出してくれんと聞こえんぞ」

「へ、旦那様が何か大切なこつば考えておられる様子だったもんで」長吉がかしこまる。

「だから大声を出さんと、余計聞こえん。いつも牛馬の傍にばかりいると、囁《ささや》き声になってしまうのかの」

助左衛門は八つ当たり気味に嫌味を言う。

「実は清宗村の庄屋様から使いが来とります。すぐに屋敷まで出向いて欲しかというこつです」

「そげな大切なことは、はよ言うてくれにゃ。すぐに行く。使いは待たしとるとか」

「お待ちです」

「一緒に清宗村まで行ったとしても、帰りは暗くなる。誰か迎えに来るなり、供に来てくれんか」

「ちょうど元助が手がすいとりますけん、行くと言っとります」

長吉が答える。元助が暇だというのは嘘《うそ》で、今から元助のところに旦那の命令だと言いに行くのに違いなかった。

「そうか。すぐ仕度ばする。使いの者は家の中にはいってもらえ」

助左衛門はちよを呼び、使いに熱い茶を出すように言いつけた。

「こげな雪の日に、何の用事でっしょか」ちよが綿入れを出しながら顔を曇らせる。

「反対しとる村々の庄屋が押しかけたんじゃろ」

相手は五人か十人か。助左衛門は、何人かの庄屋を従えた糸丸村の藤兵衛が、平右衛門に談判している様子を思い浮かべた。

「よりによってこげな雪の日に来んでも、よかでっしょに」ちよが口を尖《とが》らす。

「自分たちの決心が固かこつば見せたかとやろ」

平右衛門が加勢として呼びにやらせたのはおそらく高田村だけだろう。五庄屋全部を揃《そろ》えて、三田藤兵衛たちと対峙《たいじ》すれば、それこそ大喧嘩《おおげんか》になってしまう。

玄関の外に出ると、使いの者と元助が待っていた。二人とも藁蓑を着て、手拭《てぬぐ》いで頬かぶりをしている。しかし足は素足に草鞋《わらじ》のみだ。

助左衛門のほうは藁蓑は同じだが、足袋の外を油紙で包み、頭にはちよが作ってくれた綿入りの頭巾《ずきん》をかぶっている。

「雪の中、ほんに御苦労じゃった。元助もすまんな」

ちよがさし出した傘をさす。幸い風はなく、雪は音もなく真上から降っている。

「やっぱ、庄屋たちが来とるとか」歩きながら使いの者に確かめる。

「へっ」という返事があり、その数は五人だとつけ加えた。

藤兵衛を含めての五人なら、多勢に無勢というほどでもない。

庭から出ようとしたとき、足元に駆け寄ったものがあった。権だ。雪そのものが嬉《うれ》しいのか、あたりの雪を蹴散《けち》らしては、また寄ってくる。

「こらっ、今はついて来ちゃならん」

元助から怒鳴られて、権が動きをとめる。三人を見送るようにして雪の中に残っていた。

「主人の命令はよう聞くのう」助左衛門は感心する。

田畑には誰も出ていない。雪は一尺とまではいかなくても、その程度には積もり、あたり一面雪化粧だった。

「元助、もう醬油《しょうゆ》の仕込みは終わったかの」

前を行く元助に訊《き》く。雪のためか、声がよくとおる。

「味噌《みそ》つきも醬油仕込みも終わりました」

「今年は味噌の麴《こうじ》を変えたち聞いたが」

「長吉が吉井で買《こ》うて来とります。今までとは違う麴屋です」

ちよが、娘が嫁いだ夏梅村の次兵衛の家に行き、味噌の味がよいのに驚いたのはふた月ばかり前だ。娘の志をに訊くと、同じ吉井の麴屋でも、助左衛門が長年ひいきにしている店とは別の店の名を口にしたらしい。

「麴の良《よ》し悪《あ》しでそげん違うとは思わんがのう」助左衛門は元助に言う。

「やっぱ大豆の出来具合によりますけん」

元助はさらりと答える。「今年は出来が良くはなかです」

出来が良かった年はないではないか、と言いたいのを助左衛門は抑える。丸々とした豆の粒を見たのは、もう七、八年も前のことだった。

しかし大豆に限らず、里芋、胡瓜、牛蒡も大根も瓜も南瓜も、太り切ったものは、数年に一度しか見たことがなかった。貧弱なのは稲だけではないのだ。

どんなに草を刈り込んで入れ、厩肥《うまやごえ》と下肥を施しても、肝腎《かんじん》な水が足りなければ功を奏さない。水が、百姓がそそいだすべての労力に、命を吹き込むといってよかった。

道に沿って流れる溝も、雪で覆《おお》われている。雪がやみ、日照りになれば、しばらく畑が湿り気を持つ。霜柱で麦が浮き上がらないように、足で踏みつける作業も、これから大忙しになる。

前を行く元助の足首が真赤になっていた。別に冷たいふうでもない。ひび割れた踵《かかと》や足の裏だけは、ぶ厚く黒っぽい。打桶《うちおけ》は、草鞋をはいていては滑りやすいし、一日で草鞋が破れてしまう。厳冬の日でも、裸足《はだし》で土手の上に立つしかないのだ。

死んだ十松の足と手を助左衛門は思い起こす。ある冬の日、打桶の最中に倒れ、相棒の伊八に担《かつ》がれて家に戻って来た。身体《からだ》半分が動かず、口もきけなくなっていた。納戸《なんど》に寝かせて、清宗村まで平右衛門を呼びにやらせた。治る見込みは薄いという見立てだった。十松は自分でそれが分かっていたのか、下女が運んだ膳《ぜん》にも手をつけなくなり、二十日ばかりあとに息を引き取った。甕棺《かめかん》に納める際、十松の足と手を見て助左衛門は胸を衝《つ》かれた。寝込んでいるうちに身体は骨と皮になっていたものの、足の裏は草鞋をつけたようにぶ厚かった。手も団扇《うちわ》を広げたように大きく、手のひらも足の裏同様、硬くなっていたのだ。この先も打桶が続けば、元助の足も十松と同じようになるはずだ。

夏梅村と今竹村を過ぎて、降りしきる雪の向こうに耳納の連山がおぼろげに見えた。白色に覆われて、鈍色《にびいろ》の空との境は、よほど目をこらさないと判《わか》らない。

菅村に近づくにつれて、雪が急に深くなる。足跡は数えるほどしかなかった。使いの下男は白い息を吐きながら雪の中に足を踏み入れる。その後ろを、足を引きずりながら元助が追い、助左衛門が続いた。

このまま降り続けば帰りが思いやられ、元助に同行してもらってよかったと助左衛門は胸をなでおろす。菅村の家の脇《わき》を通りかかったとき、庭にいた犬に吠《ほ》えられ、呼応するように別の家からも二、三匹の犬の遠吠えがした。しかしすぐに鳴き止《や》み、あとはまた雪を踏みつける音だけが耳にはいる。

「旦那様、休まんでよかですか」

助左衛門の息づかいを聞きつけて元助が振り返る。

「よかよか。もうすぐそこやけ」助左衛門は答える。

実際、村はずれにある平右衛門宅の屋根が見えていた。茶の生垣も藁屋根も見事に雪化粧をしている。さすがに診療中を示す旗は出ていない。

生垣の外の道は、足跡が少しだけ残っていた。どこかの村の庄屋たちが訪れたのであれば、かなりの足跡があるはずだが、随分前だったのに違いない。

下男が玄関先で声をかける。出て来たのは息子の佐蔵だった。助左衛門は元助に外で待つように言ったが、下男のほうが気を利《き》かせて勝手口の方に連れて行った。

「寒かとに、ほんにすんまっせん」佐蔵が手もみをしながら頭を下げる。「どうぞ上がってつかあさい」

頭巾を取り、蓑を脱いでいると、娘のしげも顔を出した。袴《はかま》や草履の雪を払ってくれる。助左衛門は、懐《ふところ》に入れていた新しい足袋とはき替えた。

「これは乾かしときます」

辞退したが、濡《ぬ》れた油紙と足袋をしげが手に取る。

佐蔵について座敷の方に回った。廊下までは、言い争う声は聞こえない。

「助左衛門殿が見えました」

咳払《せきばら》いをして佐蔵が板襖《いたぶすま》を開ける。中に眼をやって助左衛門はいささか驚く。予期していた庄屋の顔ぶれではなく、三田藤兵衛もいなかった。

「足場の悪いなか、ほんに申し訳なか。ここは助左衛門殿に加わってもらわんことには、どうにも話がまとまらんので、来てもろうたとです」

平右衛門が自分の脇に座布団《ざぶとん》を出して手招きした。

「どうも、日頃はご無沙汰《ぶさた》しとります」

助左衛門は居並ぶ五人の庄屋の顔を見回しながら頭を下げた。

高田村の東側に稲崎《いなざき》、富光《とみつ》、安枝《やすえだ》の三つの村があるが、その三ヵ村をたばねている庄屋の清兵衛、清宗村のすぐ東に位置する島《しま》村の庄屋太兵衛、さらに東側にある末石《すえいし》村庄屋七郎左衛門と金本《かねもと》村庄屋次郎兵衛、そして巨瀬川の向こう側にある竹重《たけしげ》村庄屋利右衛門が、それぞれ身を乗り出すようにして坐《すわ》っていた。

「助左衛門殿。ここに五人の庄屋殿が見えとるのは他でもなか、堰渠の事業に自分たちも加えてもらえんかということで、私はどうしたもんか一存では返事ができんで、使いば走らせるしかなかったとです」

「加わってもらえるとですか」

助左衛門は五人の顔を改めてうかがう。本心かどうか確かめたかった。

「郡役所に嘆願書ば出されたと聞いて、私は当初、水臭かと思ったとです。私らの村は助左衛門殿の村とは目と鼻ではなかですか」

安枝村に住む清兵衛が口元をゆるめながら言った。齢はまだ夏梅村の次兵衛と同じくらいで三十代半ばだ。父親とは比較的懇意にしていたが、息子が後を継いでからは互いの行き来が途絶えていた。若いが、稲崎、富光、安枝の三ヵ村を統《す》べるだけの才覚はあるという噂だった。

「それは、わしも同様」

横に坐った島村の太兵衛も口を開く。五人のなかでは最年長で、もう六十半ばだった。

「すんません」平右衛門が頭を下げる。

「すまんことは全然なかばってん、清宗村とは隣同士のよしみで、ひとこと声ばかけて下さったなら、つとに賛同しとりました」太兵衛が自分に言いきかせるように頷《うなず》く。

「水不足で悩まされとる点では、私らの村は、平右衛門殿や助左衛門殿の村といっちょん変わりません」と末石村の七郎左衛門が言い、「全くそげんです」と金本村の次郎兵衛が顎《あご》を引いた。

「聞くところによると、東の方にある村々は、堰渠に反対しとるそうじゃなかですか。最初は十一ヵ村だったのが、今は十四ヵ村に増えとるそうです。嘆願書のあとに、私どもの七ヵ村の名前ば加えてもらうと、反対の村々にも力負けせんと思いますが」

竹重村の利右衛門は助左衛門の目をまっすぐ見つめた。

「増えた三ヵ村ちいうのはどこですか」

訊いた助左衛門に答えたのは平右衛門だった。

「包末村、溝口村、能楽《のうらく》村の三ヵ村らしかです」

なるほどすべて東にある村々だった。

「ありがたかこつです」助左衛門は言う。「同じ生葉郡の中にこうやって賛同してもらえる庄屋がおらっしゃるというだけで、どげん心強かか。お礼ば申し上げます。特に東の方の村々から反対の声が聞こえているなか、今のように言って下さると嬉しかです」

助左衛門は前にいる庄屋たちを見回してから、居住まいを正した。胆《はら》に力をこめて続ける。

「ばってん、犠牲になるとは、私ら五庄屋だけでよかとです。かといって、堰渠が完成したとき、溝渠の水ばやらんというわけではござっせん。そげなこつばすれば天罰が下ります。第一、水路はあなた方の村を通らんことにはどうにもなりまっせん。溝渠のための潰《つぶ》れ地も出るはずです。そんときに力添えしてもらえれば、それで充分です」

助左衛門は言いながら、普請《ふしん》奉行の屋敷に呼び出されたときのことを思い浮かべていた。今竹村の平左衛門は身代を賭《か》けると言い、菅村の作之丞も娘婿《むすめむこ》の次兵衛も命を賭けるといみじくも言明していた。自分たち五庄屋の覚悟は、その二点に凝縮されている。身代と命を賭けている事業に、他の庄屋を巻き込むことはできない。ましてそれを強要するなどできるはずはなかった。

「やっぱし同じですか」

島村の太兵衛が肩を落とした。「そんこつは、先刻から何べんも平右衛門殿の口から聞かされました。助左衛門殿は少し違うと思っとりましたが」

「私らも堰渠の大事業に肩入れしたか気持は、人後に落ちんとですが」三ヵ村を統べる清兵衛が唇をかむ。

座の中に沈黙が流れる。

「ばってん、東の方の村々で反対の声があがっとることも、考慮して欲しかとです」

少しどもり癖のある金本村の次郎兵衛が、座をとりもつように口を開いた。「橋田村に糸丸村、古川村、角間村、小江村——」

「下宮田、上宮田、徳丸、福久、長野、朝田」

末石村の七郎左衛門が話を継いで指を折っていく。

「それにさっきの溝口、包末、能楽の三ヵ村が加わって十四ヵ村です。生葉郡の東側にある村十四ヵ村が、すべてこの工事の前に立ち塞《ふさ》がって通せんぼをしとります」

一番若くて押しの強い清兵衛が膝《ひざ》を乗り出すようにして言う。「私どんの五庄屋、七ヵ村が加われば、こっちは十二ヵ村になります。十四対十二なら何とか持ちこたえられますばってん、十四対五となると、これは多勢に無勢になります」

「心配していただいとるのは重々分かっとります。実にありがたかです」

平右衛門が丁重に口を開いた。「ですが、ここは私ども五庄屋に任せてもらえんでっしょか。手助けば拒むわけじゃございません。五庄屋七ヵ村の後ろ楯《だて》ば感じるだけで、どげん心強かか」

平右衛門が頭を下げたので、助左衛門もそれにならった。

また沈黙が座を包んだ。

嘆願書に、ここに居並ぶ五庄屋の名を追加するのは簡単だ。しかしそれでは最悪の事態の場合、自分たちの罪まで負わせる結果になる。それでもいいかと、目の前にいる五人に問えば、もちろん覚悟の上だ、と答えるだろう。言い出した以上、引っ込みはつかないからだ。そんな中途半端《はんぱ》な態度で賛同してもらっては、嘆願書そのものの値打ちが下がってしまう。

一番よい策は、この五庄屋が別途嘆願書をこしらえて、高田村以下五ヵ村五庄屋の考えに同調する旨《むね》を明記することだろう。そうなれば力強い追い風になる。

しかしこれとても、こちらから言い出したり、示唆《しさ》する類《たぐい》のことではなかった。助左衛門はそこまで考え、唇を横一文字にして沈黙を守った。

「平右衛門殿と助左衛門殿の胸の内はよう分かり申した」

ようやく島村の庄屋太兵衛が口を開く。「決心が固かこつば知って、わしは反面、安心した。これは並大抵の決心じゃなかこつが伝わりました。その潔《いさぎよ》か決心に、今になってわしたちが名を連ねたところで、汚れをつけ加えるこつになるような気がします。連署の件は、引っ込めることにしまっしょ、みなさん、どげんでっしょか」

太兵衛が仲間の四庄屋の顔をひとりひとり確かめる。不満と諦《あきら》めの入り交じった顔は、四人とも同じだった。

「異存がなかごたるですけん。この一件は落着というこつにします」

太兵衛は助左衛門と平右衛門の方に向き直る。「ですが、わしら五人は、何かのときは必ずや加勢に参ります。夫役も村民は喜んで出るはずです。出らん百姓がおったら、わしが村から追い出します。そげな百姓は、うちの村にはおらんほうがよかです。あなた方五ヵ村五庄屋の後ろに、微力ながら、わしら七ヵ村五庄屋がついとると思っとってつかあさい。みんな、異存はなかでっしょ」

太兵衛が言い、左右の四庄屋も頷く。

「ありがとうございます」

平右衛門が答え、助左衛門も一緒に頭を下げた。

「さあ、せっかく来ていただいたとですけん、何もなかばってん、一献やってつかあさい」

平右衛門が手を叩く。板襖が開いて、娘のしげと下女二人が姿を見せた。杯と肴《さかな》の載った膳がそれぞれの前に置かれる。

「助左衛門殿は誰か供ば連れて来とるとではなかですか」平右衛門が訊《き》く。

「元助と一緒です」

「どこにおりますか」

「どこか家の中におらせてもらっとるはずです」

助左衛門が答えると、平右衛門はしげに声をかけ、何か食い物を出すように言いつける。

「清兵衛殿は、帰りは助左衛門殿と同じ道になるので、元助が先導してくれるでっしょ。雪道も心配なかです」

平右衛門は言い、清兵衛と助左衛門の杯に自ら酒をついだ。

五 川成洗剝《かわなりあらいはぎ》

「旦那様《だんなさま》、鍬《くわ》や鎌《かま》を持った百姓たちが、こっちに向かっとります」

打桶《うちおけ》を終えて戻った伊八と元助が知らせに来た。

助左衛門は息子の幸之助を呼びつけ、伊八と元助について見に行くように命じた。しばらくして、血相を変えた幸之助が座敷に上がって来る。

「やっぱりそげんです。百人、いえ二百人か三百人はおるごたるです」荒い息をしながら告げた。

「慌《あわ》てるこつはなか。堰渠《えんきよ》に反対しとる村の百姓じゃろ。荒使子《あらしこ》たちにも、気色ばまんように言っとけ」

いくら反対しているとはいえ、百姓たちが庄屋の家を襲うことはなかろう。そんな暴挙に出れば、郡《こおり》役所が放ってはおかない。

「庭に百姓たちがはいって来たら、私ば呼んでくれ」

まだ蒼《あお》い顔をしている幸之助に伝え、また呼びとめる。「それから元助でも伊八でもよかけ、夏梅村までひとっ走りして、次兵衛殿にも知らせろ。高田村の次は夏梅村かもしれんし、二手に分かれて押しかけるとかもしれん。とにかく喧嘩《けんか》にならんように、穏便に対応するごつ言っといて欲しか。いややっぱり、お前が行って、じかに話せ」

ひ弱な幸之助を走らせるのには迷ったが、思い直して言いつける。危急の折、自ら動くことを学ばせるのにはいい機会だったし、姉婿《あねむこ》と直接言葉を交わす好機でもあった。

幸之助と入れ違いにはいって来たちよも気が気ではなさそうだった。

「大丈夫でしょうか。村の者ば呼び集めんでよかでっしょか」

「馬鹿《ばか》、そげなこつばした日には、大喧嘩になる。せっかくの嘆願も水の泡になってしまう」助左衛門はちよを叱《しか》りつける。「ここは、平素と同じように仕事ばしとけばよか。醬油《しょうゆ》の仕込みはまだ終わっとらんじゃろ」

「はい、伝助と長吉に手伝わせてやっとる最中です」

「おろおろするより、そっちのほうが大切」

ちよを出て行かせたあと、助左衛門は縁側に出た。風が冷たい。筑後川を渡って来る川風は独特の湿り気をもっていて、余計肌を刺す。押し寄せて来る百姓たちの姿は見えないが、風音のあい間に、男たちの声が聞こえるような気がした。

ほどなく屋敷の表のほうが騒がしくなる。百姓の数は五十人だろうか、百人だろうか。権が激しく吠《ほ》える声が届いた。助左衛門は立ったまま、風に揺れる桑の木を眺めた。

「旦那様、よその村の百姓たちが大勢来ております」

長吉が縁側の脇《わき》に来ていた。「今、伊八と元助が応対しております」

「どこの村の百姓か」

「どこの村かは言いません。とにかく庄屋を出せと言っとります。出さんなら、家の戸を叩《たた》き壊してでも引き出すと、えらい剣幕です」

「今仕度ばしよると言え」

助左衛門は長吉を帰し座敷に戻った。土間で草履に足を入れていると、ちよが心配気に近寄る。

「大丈夫でっしょか」

「まさか叩き殺されることもなかろう。女たちは、姿を見せんがよか」

下腹に力を入れ、玄関に向かう。

「庄屋出て来い」という怒鳴り声が耳にはいった。権は恐れをなしたのか、もう吠えてはいない。

戸を開けた。ほんの二、三間先に百姓たちの群があり、それを押しとどめるように伊八と元助が立っていた。百姓たちの数は、百を優に超えている。手に鎌を持つ者もいれば、鍬を手にしている者もいる。助左衛門の姿を見て、怒鳴り声は一瞬止《や》んだ。

助左衛門が五、六歩前に出ると、百姓たちは後ずさりした。

「私が、高田村の庄屋山下助左衛門だ。まずは、鍬を地面におろし、鎌は腰にさしてもらおう。そうでなきゃ、話はできん」

前の方に並ぶ百姓に助左衛門が言いかける。

「よし分かった。おい、みんな」

髭面《ひげづら》の男が後ろのほうに呼びかけ、自分も鍬の先を地面につける。横の男も鎌を腰縄にさし込んだ。

「まずは、お前たちの村と、名前ば聞かせてもらおう。私の後ろにいるのは荒使子の伊八と元助で、高田村では打桶をしてもらっとる」助左衛門は髭面の男を見据えて言った。

「村も名前も言う必要はなか。ただ、東の方の村々から来とる」いく分怯《ひる》みながら髭面が答えた。

「村の名も言わんで、自分の名前も名乗られんとなると、こりゃこっちも応じようがなか」

助左衛門は前列にいた六人の男たちの顔をひとりずつ見ていく。

「お前も、村の名と自分の名前も言えんとか」

最後の男の顔を正視して問いかける。大きな身体《からだ》つきをしているが、まだ二十歳《はたち》そこそこだろう。どう答えていいか分からず、髭面の男を見やった。

「その手にのるな。おれたちは東の方の村の百姓、それで充分」

髭面の男が叫び、後ろの方で、おうと声が上がった。

「東の方の村の百姓たちと名乗るなら、牛馬よりはましかもしれん。私も、そのつもりで話ば聞こう」

助左衛門は髭面の男の前に立ち、相手が口を開くのを待った。

「堰《せき》造りも、溝掘りも、止めろと言うとるんじゃい」男は顔を歪《ゆが》め、叫んだ。

「ああ、堰渠のこつか。あれは止めるも止めんも、殿様が決めることになっとる。こっちの一存じゃ、どうにもならん」

助左衛門は、後ろの連中にも聞こえるようにゆっくり言い放つ。

「だから、あんたたちが嘆願を取り下げれば、万事うまくおさまる」

髭面の男は肩で息をしながら答え、「な、みんな」と後ろの連中をけしかける。

「この間、城内にも呼び出されて、二人の普請《ふしん》奉行から御下問があった。今さら嘆願を取り下げれば、五庄屋の名折れどころか、首が飛ぶ」助左衛門は静かに答える。

「これから工事が始まるようなこつになれば、あんたたちを、おれたちが始末する」

髭面の脇にいた若い男が、鎌を振り上げて威嚇《いかく》した。

「ほう。工事が始まるとなれば、それはもう家中が決めたこつ。五庄屋の首ば鎌で切り落としたところで、お前たちが成敗される。さしずめ、お前が一番真先だろうな」

矛先が自分に向けられて訳が分からなくなったのか、若い男は目を白黒させた。

「だから、そん前に嘆願書ば、取り下げろと言っとるんだ」髭面が叫んだ。

「分からん頭をしとるの。取り下げると、こっちの首が飛ぶ。取り下げる訳にはいかん」

「工事が始まったら、お前たちをただにゃしちゃおかん。首ばもらおう」また若い男が怒鳴る。

「首を刎《は》ねんでも、工事に逆らえば、お上の命令にそむくこつになる。そうなれば、お前たちの首も飛び、田畑も没収される。それでよかとじゃな」

助左衛門は子供に諭すような口調になった。

「首が飛ぶくらい何ともなかぞ」若い男が虚勢を張る。

「田畑もなくなるぞ」助左衛門はその男を見据えた。「なくなると、女房子供は食っていけんぞ。子供は人買いに売られ、女房も身売りになる」

「何を」

相手の男は、またもや話が妙な成り行きになったので狼狽《ろうばい》した。

「ともかく堰ができると、おれたちの田が川成洗剝《かわなりあらいはぎ》になる。そんなこつは絶対させん。お前たちの田んぼは水にありつけて、ほくほく顔じゃろが、俺たちのところは水浸しだ。なあ、みんな」

髭面の男が息を吹き返したように仲間に呼びかける。再び「おう」と、ときの声が上がった。

ははあ、そういうことかと助左衛門は納得する。やはり誰かから、たきつけられて腹を立て、やって来ているのだ。

「ちょっと待て。いま、堰ができると田畑が川成洗剝になると言ったが、どうしてそげんなるか、聞かせてくれんか」

助左衛門は口調穏やかに相手に聞き入る。ようやく話の糸口が見えた気がした。

「堰から溢《あふ》れた水が土手の上ば越えて田に溢れ出す。今までの溝は大川になって、田畑を削るなり、剝ぎ取っていこうが。そげなこつば、黙って見ておられるか」髭面は口を尖《とが》らせた。

「堰から溢れた水は、田畑には行かん。そのまんま筑後川を流れるだけじゃろ」助左衛門はたしなめる。

「そのくらい、言わんでも分かる。おれが言っとるのは、大雨のときのこつ」男が怒鳴ったとき、息臭さを感じるとともに、赤い口の中を見た。

「大水のときも、水はちゃんと堰の上ば流れる。堰は水を塞《せ》き止めるもんじゃなか。日頃、堰の上流の水位ば二、三間ばかり高めるに過ぎん」

「その高《たこ》うなった分、土手が危うくなる。土手が切れて、真先に水に流されるのは、おれたちの村の田畑だ」若い男が言った。

「ほう、水位がたった二、三間上がると土手が切れる。これまで大水でそげなこつがあったか」

助左衛門は髭面と若い男の顔を見ながら、問いかける。他の百姓たちも二人の問答に聞き入っているのが感じられた。助左衛門は後ろの連中にも聞こえるように、声に力を入れた。

「今年の大雨のとき、筑後川の水位は三間近く上がった。それで、土手は切れたか」

「そんとき堰があれば、堰の川上はもっと水位が上がる。四、五間も上がれば、もう土手はもちこたえられん」髭面がまた目を吊《つ》り上げた。

「ほう。堰があると、大水のとき、その上流と下流で水位が違うじゃろか。川面《かわも》は、まっすぐで段差はなかとじゃなかろうか」

助左衛門は、初めて髭面から眼をそらせて、後ろにいた仲間に問いかけた。「川の中に大きな岩があって、日頃は少しばかり流れを堰止めとるかもしれんが、岩が沈むくらい水かさが増すと、もう岩がどこにあるか分からんごつなる。それと同じ理屈じゃが」

後ろにいた百姓たちは否定するわけにもいかず、かといって頷《うなず》くこともできず、首をまっすぐ突っ立てているだけだ。

「理屈ばかりこねやがって、おれが言いたかとは、水門から出た水で、田畑が流されるということじゃ」髭面の男はいつの間にか話の筋をずらしていた。

「大水のときは水門は閉め切っとる。通常の土手と同じと思ってよか。平時は、水門で水を加減する。決して溢れさせるこつはなか」

「その水門が壊れたときにはどげんなる。おれたちが心配するとはそこじゃ」ようやく盲点を探し当てたといわんばかりに、今度は若いほうが声を張り上げた。「なあ、みんな」

「おう」と後ろの連中が応じる。明らかに、問答が手こずっているのにしびれを切らしていた。

「水門ば造らっしゃるのは、ご家中が誇りにしとる普請奉行のお二方、丹羽様と山村様だ。そんな方が造られる堰渠が当てにならんと、お前は言うのか。もしそれなら聞き捨てにはできん。さあ、村と名前を言ってもらおう。郡奉行様に届け出てやる」

助左衛門が詰め寄ると若い男は後ずさりした。

「おれは万が一のこつば言いよる。いつもそげんとは言わん」明らかに相手の腰が引けていた。

「いやしくも、堰ば造ろうと奉行様が決められたなら、その万が一のことも考えとらっしゃるはずだ。こっちはそれを信じるしかなか。それとも初手からそれを疑ってかかるちいうとか」

若い男は二の句が継げなくなり、代わりに髭面がたまりかねたように大声を出した。

「この庄屋は、やっぱし聞く耳はもっとらん。おれたちの田畑が川成洗剝になってても構わんと思っとる。いいから手当たり次第に、納屋《なや》の中も蚕棚も、雨戸も壊せ」

二人の後方でうずうずして腕まくりをしていた大男が、待ってましたとばかり鍬を振り上げ、納屋に向かう。

「待て」

助左衛門は駆け寄って両手を広げた。「屋敷を壊すなら、この私を殺してからにせい」

「旦那様」

助太刀をするように元助が傍に来て、同じように手を広げる。

大男は怯み、振り上げた鍬のおろし場所に迷い、後ろの方を見た。

髭面の男たちも主屋《おもや》の方に詰め寄っていたが、そこでも伊八と長吉、そして息子の幸之助、さらに他の荒使子二人が必死の形相で両手を広げていた。幸之助はいつの間にか裏道を通って家に帰って来ていたのだろう。そのまま家の中に隠れず、身を張ってくれているのが嬉《うれ》しかった。

「庄屋の家も、旦那様とおんなじだ。傷がつけば、あとでどげなお咎《とが》めがあるか分からんぞ」

伊八が、目の前にいる百姓たちに叫ぶ。「咎めがあれば、あんたたちの村の庄屋にも罪が降りかかる。そいでよかなら、このわしを倒してからにしてくれ」

「しゃらくさい」

髭面が伊八を押しのけ、雨戸に鍬を打ちつけた。大きな音がして板が裂ける。

「やめとくれ」すかさず、長吉がその腰にしがみつく。

「こっちも、やっつけろ」

助左衛門の前に立っていた大男も、納屋の入口にぶら下がる簾《すだれ》を手で引きちぎった。

「やめんか」

元助が男を制してもみ合いになった。その隙《すき》に、別な男たちが納屋の中にはいり、編んでいる途中の莚《むしろ》を鎌で切り落としはじめる。

主屋の方でも何人か家の中にはいり込んだのか、女の悲鳴が聞こえた。

「元助、もうよか」

助左衛門は元助に言う。「好きなようにやらせとけ。それより、主屋に行って女子供ば守ってやってくれ」

幸之助も荒使子たちも、抵抗を諦《あきら》めていた。男たちのほうも、家人は傷つけまいと決めているのか、もっぱら戸口や壁、縁側を壊そうとしていた。

そのときだ。人垣の後ろの方で、権が吠えた。これまで聞いたことがないようなすさまじい鳴き方だ。

「こら待たんか」

百姓たちを蹴散《けち》らして馬が庭に駆け込む。その後方に権がついて来て、馬上の侍に吠えかかる。いや尾を振っているところからすれば、喜んで迎えている。

息の荒い馬をなだめて、鞍《くら》から下りたのは下奉行菊竹源三衛門だった。

「お前たち、何の狼藉《ろうぜき》ばしよるか」

小柄な身体のどこから力が出ているのかと思うような大声だった。既に縁側に上がり込んでいた男たちも、鍬をおろして縁側から飛び降りる。こそこそと隠れるように人垣の後ろに紛れ込む男もいた。

助左衛門が見回すと、髭面の男も大男も姿を隠していた。

「そこを動くな」

打ち壊された雨戸の近くにいた百姓四、五人に源三衛門が近づく。

「お前はどこの村の者か」

男は口をつぐんだまま肩を震わす。

「言わんのなら叩《たた》っ斬《き》る」源三衛門は刀に右手をもっていく。

「橘田村です」

「名前は」

「嘉六です」

「嘘《うそ》ば言っても、お前の顔は覚えとる。わしをだましたら承知せん」

「橘田村、嘉六です」男は神妙に答えた。

「お前は」

源三衛門は隣にいた先刻の若い男に詰め寄る。

「下宮田の市助です」震え声が答える。

「そこのお前は」

源三衛門は横を向き、前列にいた年寄りに鞭《むち》を突きつける。

「福久村の多部吉です」

「お前の齢《よわい》なら、分別を持ってよかはず。それとも若い者をけしかけたのは、お前か」

問いつめられて、その男は目をしょぼしょぼさせる。滅相もないというふうに首を振った。

「誰がけしかけた。福久村の庄屋か。橘田村の庄屋か、それとも下宮田村の庄屋か」

下奉行は、立ちすくんでいる百姓たちにひとりずつ鞭の先を突きつけた。「それも違うとなら、東の方の村、全部の庄屋がけしかけたか」

返事はない。助左衛門たちの前にいた男たちも、いつの間にか後ずさりしていた。

「よかか、よく聞け。堰渠ができるかどうかは、わしも知らん。普請奉行様とご重臣の方々の裁可、上様の御決断によるこつだ。しかし、仮に堰渠ができたとすると、堰の下流にある村々は、全部恩恵ば受ける。溝渠のために潰《つぶ》れ地は出るかもしれんが、それは残りの田畑を潤すための犠牲ち言うもんじゃ」

源三衛門は、後ろの方にいる百姓たちにも聞こえるように顎《あご》を突き上げた。「それとも、こんままの田畑を、子供や孫たちに残していくとか。こんままでよかなら、それでええ。江南原の貧乏百姓、草臥《くたび》れ百姓、と他の村の百姓たちから笑われ続けろ。そんこつば、帰ってよう考えろ。そしてどうしても反対なら、自分の村の庄屋たちに言え。庄屋たちが集まって、反対の血判状でもさし出すとよか。それが筋道ちいうもんじゃ。こんまま高田村の庄屋の屋敷ば打ち壊したら、お前たちの村の庄屋が、取り潰しになる。それでもよかなら、鍬や鎌を振り回す必要もなか。この高田村庄屋山下助左衛門殿の屋敷に火ばつけろ。わしが証人になる。さあ、やれ」

源三衛門は一歩下がって鞭を振り上げた。「さあやれ」

しかし百姓たちはそれとは反対に後ずさりし始める。後方にいた男たちが後ろ向きになり帰り出すと、手前の方の百姓たちも浮き足だった。最後には小走りになって庭から出て行く。

最後の何人かに権が吠《ほ》えかかり、追い立てた。

「菊竹様、ありがとうございます」助左衛門は源三衛門に近寄って頭を下げた。

「とんだ災難じゃったな」

源三衛門は、破れた戸袋や襖を見やった。

「あの程度だったら、何とでも修理ができます」

「早く着いてよかった。郡役所に知らせてくれたのは、金本村の庄屋だった」

「次郎兵衛殿ですか」この前平右衛門の家で会った顔を思い出す。嘆願書に連名させてくれと頼み込んだ庄屋のひとりだ。さっそくの加勢がありがたかった。

「使いが来て、百姓たちが大勢、西に向かっている。おそらく庄屋に脅しをかけるつもりじゃろということじゃった。それで、下の者ば連れて、五庄屋の家に向かった。高田村に向かっとる百姓の数が一番多かち聞いたんで、わしがここに来たわけじゃが、ともかく間に合ってよかった」

「それじゃ夏梅村や今竹村にも、郡役所のお侍様が行かれたとですね」

「それぞれが馬を走らせたので、間に合っとるはず」

「ありがとうございます」

夏梅村の次兵衛の家も大事に至らなかったはずで、助左衛門は胸を撫《な》でおろした。

「あの連中、どげな難癖ばつけたのか」

「自分たちの村が川成洗剣になると言っとりました」

「川成洗剣とな」

　下奉行は吐き出すように笑った。「大仰なこつば言う」

「堰ができると大水のとき、土手が切れたり水門が破れたりして、田畑が川になり、表土が剣がされて流れてしまうとば、心配しとるとです。ありえんこつですが」

「ま、連中が考えそうなこつではある。もしそげなこつが実際起こったら、殿のお顔がつぶれ、丹羽様の業績もいっぺんにひっくり返る。堰渠を造るとなると、丹羽様も山村様も命を賭けらっしゃる。仮に見込み薄の場合、当家の名折れになるような危い橋は渡られんじゃろ。だから、ここは裁可を待つしかなか」

　慰めるように言う源三衛門の足元で、権が臭《にお》いをかいでいた。元助が叱《しか》りつけるが、権は草履に鼻をすり寄せるのに必死だ。

「郡奉行様の犬がよくじゃれつくので、臭いがついとるのじゃろ」

　源三衛門はしゃがみ込んで、権の頭を撫でる。「お前は、わしの顔を見たとたん尾を振ったな。確か二回しか会《お》うとらんのに、偉い奴《やつ》だ。今日は大手柄じゃった。わしの家来になってついて来てくれた」

「すみません」

元助と一緒に助左衛門も頭を下げる。

「そんなら、もう行くけんな。郡役所に帰る途中で、あとの四庄屋の家に寄ってみる。凶事に遭うとらにゃよかが」

源三衛門は馬に跨《また》がり、きびすを返した。

六　誓詞血判

八つを過ぎた頃だろうか。庭を掃いていた元助の母親のいとが戻って来て、土間から助左衛門を呼んだ。

「旦那《だんな》様。表にお侍様が見えとります」

「なに、この間見えた菊竹様か」

「菊竹様の他にも三人」

「そりゃいかん。すぐちよに言うて、酒と肴《さかな》の用意ばさせろ」

助左衛門は、おっとり刀で玄関先に出る。

菊竹源三衛門が笑顔を見せ、その後ろに郡《こおり》奉行の高村権内と若侍二人が控えていた。

「これはこれは。どうぞ中におはいり下され。むさ苦しい所ではございますが」

「すまんこっちゃ。郡内の見廻りついでに寄ってみた。高村様が直々に尋ねたいこともあると言われとるので」源三衛門が言った。

「さようでございますか。お立ち寄り下さるとは、光栄至極です。あばら屋同然ですが、喉《のど》の渇きでも潤《うるお》していただければと存じます」

「馬はつないでおいてもよかか」

「はい、そんままで。家人に世話させますので」

馬が二頭しかいないところからすると、若侍二人は歩いて供をしたのだろう。助左衛門は長吉を呼び、馬の面倒をみるように命じる。

「庄屋殿、あれが先日の狼藉《ろうぜき》の痕《あと》か」

権内が目ざとく、破れた戸袋の方をさし示した。

「はい。板襖《いたぶすま》のほうは直したとですが、外はまだ後回しになっとります」

事のいきさつが源三衛門から郡奉行まで伝わっているのが、助左衛門は嬉《うれ》しかった。

「とんだ災難じゃったな。堰渠《えんきょ》に反対しとる村々の庄屋が仕組んだことじゃろ」

「あのとき菊竹様が駆けつけて下さったので、厄難もこの程度ですみました」

「今日は反対しとる庄屋たちのことで聞きたかこつもあるので、寄ってみた」源三衛門が言う。

「はい、何なりと」

助左衛門は四人を招き入れ、座敷に通す。今朝方、ちよが掃除をし、床の間に花も活《い》け、助左衛門自身も掛軸を替えたばかりだった。

郡奉行は、掛軸の文字に眼をとめた。〈民之所好好之、民之所悪悪之。此之謂民之父母〉と書いてあり、助左衛門が好きな詞だった。

「立派な字だな。〈民の好む所は之《こ》れを好み、民の悪《にく》む所は之れを悪む。此《こ》れを之れ民の父母と謂《い》う〉か。出典は『大学』だと思うが」

「確か父親からそう聞かされました。祖父が善導寺の和尚《おしよう》に揮毫《きごう》してもらったそうです。庄屋としての心構え、だったとでしょう」

「庄屋だけじゃなかろうな」

郡奉行は床の間の前にゆっくりと胡座《あぐら》をかく。それを囲むようにして、下奉行と若侍二人も腰をおろした。

「さっそくじゃが。他でもなか。江南原の東の方の村から改めて嘆願書が出された。いうなれば逆嘆願だ」

「覚悟はしとりました。何人の庄屋が名ば連ねとるでしょうか」

「十四人だ。東の方から言うと、古川、糸丸、朝田、長野、福久、徳丸、角間、上宮田に下宮田、小江――」

指を折りながら郡奉行が数える。「あとはどこじゃったかな」

「能楽、包末、溝口と橘田村です」源三衛門が答える。

「それで十四庄屋、十四ヵ村になる」

予期していた村の名だった。その首謀者は訊《き》くまでもなく糸丸村庄屋藤兵衛だろう。

「東の方の村、全部でございますね」

「全部じゃなか。原口や高柳、末永《すえなが》、国光《くにみつ》、若宮《わかみや》、国吉《くによし》など、表立って反対しとらん村もある。まずは模様見というこつじゃろが」源三衛門が慰めるように言った。

「逆嘆願と前後して、助太刀嘆願とも言うべき導水請願書が、八ヵ村六庄屋から出された」郡奉行が重々しくつけ加える。

「金本、末石、竹重、島、稲崎、富光、安枝、千代久村じゃ」源三衛門が補足した。

「それは、ありがたかこつでございます」

助左衛門は、先日五庄屋が連名を懇願したことについては口にしなかった。あの話し合いで暗に取沙汰《とりざた》されたように、五人は、千代久村一ヵ村を新たに加えた六庄屋で別の書状をしたためて、郡役所に提出したのだ。

「だから、今のところ、堰渠については、態度が二分されとる。反対十四ヵ村十四庄屋、賛成十三ヵ村十一庄屋。ちょうど、橘田村と金本村の間で、態度が違う。東は反対、西は賛成」

郡奉行はさも困ったという顔で腕組みをする。

「こうした大事業で、全部の庄屋の考え方が一致するちいうようなこつは、むずかしかと思いますが」

叱責《しっせき》されるのを承知で助左衛門は言った。

「しかし大事業だからこそ、全庄屋がひとつの考え方にまとまってもらいたかとじゃ」

郡奉行は助左衛門を見据えたまま腕組みをくずさない。

郡奉行様自身のお考えはどちらなのですか、と訊いてみたい気持を、助左衛門はかろうじて抑える。微妙なところで、郡奉行は態度を留保しているように感じられた。

「そこでじゃ。こっちの覚悟ば示すために、五庄屋が改めて、誓詞を書いたらどうかちいうのが、郡奉行様のお考えじゃ」

座の雰囲気をやわらげるように源三衛門が切り出す。「その誓詞に〈この工事には、五庄屋が命と身代を賭《か》けます〉と記せば、千鈞《せんきん》の重みが加わる。東の方の庄屋たちの逆嘆願など、物の数ではなくなる」

「それでしたら、つとに覚悟はできとります。ここに、あとの四庄屋に来てもろうて、誓詞を書くのもやぶさかではございません」

「そうしてくれんか」

郡奉行が言い、やっと腕組みをといた。

助左衛門は座敷を出、長吉と伊八、元助ともうひとりの荒使子《あらしこ》を土間に呼びつける。手分けして、夏梅、今竹、菅、清宗村の四庄屋に来てもらうよう指示を出した。

高田村からは清宗村が最も遠く、一番若い元助が急ぎ足で行っても半刻《はんとき》はかかり、さらに高齢の平右衛門の足でここに戻るとすれば、それ以上の時間は見込まねばならなかった。

四庄屋が揃《そろ》う間、助左衛門はちよに命じて茶と茶請けを出させた。茶葉は吉井で買わせたもののうち、客用にしか出さない良質の味のはずだが、郡奉行にしてみれば、さ湯とさして変わらない味だろう。茶請けも、つわ蕗《ぶき》の醬油煮《しょうゆに》だ。助左衛門の好物で、これを麦飯の上にのせ、茶をかければ、何のおかずはなくても満足だった。

見たところ、郡奉行は茶を飲んで顔をしかめることもなく、蕗にも箸《はし》をのばしてくれた。

「打桶《うちおけ》の二人は元気にしとるか」

「はい。二人とも元気で働いてもろうとります。ちょうど戻って来たところでしたから、他の荒使子と一緒に庄屋を呼びに走らせました」

「この時節、打桶も寒かろう。土手の上だと風ばまともにうける」

「それも最初のうちだけと言っとりました。あとは身体《からだ》が温《ぬく》もってきますけん」

「堰渠の話はもう二人の耳にははいっとるじゃろ」

「それはもう」

「どげん言いよったか」郡奉行が訊いた。

「じかに訊いたこつはなかとですが、喜んどるのは確かでしょう。これで本来の百姓に戻れるとですから。それに、もう自分たちの代で、打桶は終わるこつができるちいうのも、嬉しかはずです」

答えながら、こうやって郡奉行と口がきけるなど、通常なら天地がひっくり返ってもありえないことだと助左衛門は気づく。しかも、かつて山村普請《ふしん》奉行の屋敷で顔を合わせたときより、郡奉行はうちとけた態度だ。

「権も元気か」

「は、はい」

「さっき表に立ったとき、姿は見らんじゃったが」

「元助についとったとでしょう。自分の主《あるじ》は元助と思っとるようで、私など、ただ吠《ほ》えんだけです」

源三衛門が話の穂を継ぎ、ひとしきりこの前の百姓たちの狼藉の話になった。

「他の四庄屋の災難は、幸い軽微じゃった。ただ、菅村では、庄屋での騒ぎば村人が聞きつけて、押しかけとった百姓たちを逆に取り囲んだらしか。庄屋が村民をなだめとるところに、ここに控えとる得十郎が割っていって、大事に至らなくてすんどる。そうだったな」

源三衛門は得十郎と呼ばれた若侍に問いかける。

「はい。菅村の庄屋が押しとどめていなければ、双方が鍬《くわ》や鎌《かま》の合戦まがいになって怪我人《けがにん》が出とるところでした」

「それは作之丞殿がようされました」

助左衛門は、あの直情に走りやすい作之丞がよくも自制したものだと感心する。血でも流れれば、当然、騒ぎは大きくなり、堰渠の沙汰も取りやめになる事態を恐れたのだ。

「一種の脅しのつもりだったろうが、案外、大騒ぎになってもよいと、東の方の庄屋たちは算段しとったのかもしれんな」

郡奉行が茶碗《ちゃわん》を口に持っていきながら言う。

「大騒ぎになって、百姓たちがそれこそ関ヶ原の合戦のように、東方と西方に分かれて血の雨が降れば、堰渠の沙汰は引っ込めざるを得なくなる。庄屋たちはそこまで踏んどったのじゃろ。助左衛門たちがその手にのらんでよかった」

源三衛門は床の間を振り向き、改めて掛軸を眺めやる。

「同じ『大学』に〈言悖《もと》って出《い》ずる者は、亦《ま》た悖って入る〉というのがある。要するに、売り言葉に買い言葉の泥仕合ちいうこつ」郡奉行が言った。

なるほどと助左衛門は郡奉行の学識に感心する。若侍二人も感じ入ったように頭を下げた。

最初に姿を見せたのは、案の定、隣村の次兵衛だった。羽織袴《はかま》に洗いたての足袋を身につけていた。

そのあと、今竹村の平左衛門と菅村の作之丞が連れ立って到着し、やや遅れて清宗村の平右衛門が姿を見せた。やはり羽織袴に身を整えている。

五人が揃ったところで、助左衛門は座を平右衛門たちに任せ、自分は居間に引っ込んで、着物を羽織袴に取り替えた。

座敷に戻ると、作之丞が先日の狼藉の仲裁に対して若侍に礼を述べているところだった。

「五庄屋打ち揃ったところで、わざわざ来てもらったわけを、助左衛門から伝えてもらおうか」郡奉行が言った。

助左衛門は、先刻郡奉行から聞かされた話を四人に手短に説明する。

「どげんでっしょか」

助左衛門が言い終えたあと、郡奉行が四庄屋の顔を見回す。

「異存などございません。私ども五庄屋、せんだって城内に参ったとき、既に意中は決まっとりました」

平右衛門が答え、助左衛門に目配せをした。

助左衛門は、立って襖を開き、幸之助を呼び、紙と硯《すずり》、墨と筆を持って来させる。

助左衛門は、小机と共にそれを作之丞の前に置いた。

作之丞は拒まず、硯を畳の上におろし、水滴から水を垂らす。

「作之丞殿、その水は筑後川の水です」

助左衛門が言い添えると、作之丞はびっくりした顔を向けた。

「堰渠の絵図面ば描くとき、いつも筑後川の水ば使っとりました。伊八と元助が打桶ばしよるでしょうが。帰りがけに、桶の底に水ば少し残してもらっとるとです。それで絵図面ば描きよると、筑後川の水ば本当に引き込んどるような気になって、何度書き損じても苦にはならんかったとです」

言いながら、助左衛門は不覚にも肚《はら》の底から突き上げてくるものを覚えた。ここで涙など流してはならないと思いながらも、熱いかたまりのような思いを抑えることができず、歯をくいしばった。

「みんな、それぞれに筑後川の水で墨ばすらせてもらいましょう」

平右衛門が言い、硯と墨に手を伸ばす。静かに手を動かし始める。あたかも墨の先に願いをこめるかのような、静かな動きだった。

「さあ助左衛門殿」

目の前に置かれた墨を手にして、助左衛門もそれにならう。もう激情は収まっていた。

墨と硯の間から漏れるかすかな音を聞きながら、助左衛門はこれまでの出来事が甦《よみがえ》ってくるのを覚えた。土手の上に立って、筑後川の豊かな流れと、江南原のまばらな緑を比べたときのこと。堰《せき》の位置である大石村のあたりまで、炎天下を歩いた日、田の稲はほとんど立ち枯れ寸前だった。幸いその二日後に降雨があって、大旱《かん》ばつは免れたが。

竹野郡の溝の一本一本を辿《たど》ったのは寒い日だった。供も連れず、寒風に立ち向かいながら歩いた。溝の走行を紙綴《かみと》じに書き入れる指もかじかみ、墨までも凍るかと思われた。それが今、こうやって最後の嘆願書を書く段取りまでになっていた。これで裁可が下らなければ、もはや自分たちの代で、願いが聞き届けられることはないだろう。あとは幸之助に託すしかなかった。

墨をすり終えると、一礼して左側にいた平左衛門の前に押しやる。平左衛門は作之丞に、作之丞は次兵衛に渡し、最後に次兵衛が作之丞の前に硯をさし戻した。

幸之助が用意してくれていた筆は新しく、紙も上質のものだった。

作之丞は筆をおろし、墨をたっぷりつけ、ぐいっと息を吸い込み、一気に書き連ねる。さらにまた墨をつけ、息を吸い、止めて再び続きを書いた。まるでこれまでの口惜しい思いをそこに込めるような、巨体の小さな動きだった。最後に、日付を書き添え、しばし乾くのを待つ。

その間、郡奉行も下奉行も、二人の若侍も息をつめて作之丞の右手を見つめている。特に若侍二人は、作之丞が思案することもなく、文章を一気に書きつけたのに内心驚き、顔を見合わせた。

助左衛門は横目で文面を見つめる。内容に相応《ふさわ》しい剛毅《ごうき》な筆づかいで、これまで何度も眼にした作之丞の書状のうちでも最高の出来映えだと思う。

作之丞は文机《ふづくえ》を平右衛門の前に置き、文面を確かめてもらう。平右衛門はさっと眼を通したあと、筆と硯を受けとる。文の末尾に自分の名を書き入れ、助左衛門の方に文机を動かした。

筑後川江南原に於《お》ける堰渠《えんきょ》造成請願状之事

かねてより嘆願申し上げ候《そうろう》の儀、此ニ改めて五庄屋相集りて、右造成の節ハ村民こぞりて人足として夫役仕《つかまつ》り候儀ハ無論の事、人足賄《まかな》いの外、諸出費、金品の出納の儀も、五庄屋が身代ヲ賭《と》して請負い申し候の段、重ねて申し上げ候条、堰堤造成、溝渠開削が成就《じょうじゅ》候えども、導水かなわぬ儀ニ於いては、五庄屋磔《はりつけ》の刑にて誅《ちゅう》罰《ばつ》に処せらるる覚悟ここに申し上げるべく候ニ付き、右此の如《ごと》く、五庄屋誓詞血判ヲ以《もっ》て願い上げ候。以上

寛文三年十二月

清宗村庄屋　本松平右衛門

助左衛門は改めて書状全体を眼にして意外の念にかられた。剛《つよ》さのほとばしり出た筆致だと思ったのが、今は美しい麗筆にしか見えなかった。助左衛門は平右衛門の隣に、〈高田村庄屋　山下助左衛門〉と書き添え、文机を平左衛門の方にずらした。胸

の内が作之丞の筆致と重なるのを覚え、助左衛門は眼をしばし閉じる。筑後川の水で書いた作之丞の筆の走る音が、まだ耳の底に残っていた。

平左衛門、作之丞、次兵衛と名を書き連ね終わると、平右衛門が目配せして血判を促した。

とはいえ、短刀や脇差《わきざし》の類《たぐい》はどこを探してもないはずで、厨房《ちゅうぼう》の包丁を持ってくるしかなかった。

「これば使ったらよかろう」

脇差を抜いて言ったのは源三衛門だった。鯉口《こいぐち》を切って平右衛門の前に置いた。

「私らの血で、せっかくの御刀を汚しては申し訳ございません」平右衛門が躊躇《ちゅうちょ》する。

「よかよか。人斬《ひとき》りに使うものでもなか。堰渠のための血判なら、脇差も喜んどるじゃろ」源三衛門がきさくに答える。

平右衛門は覚悟を決め、脇差を押しいただき、膝《ひざ》の上にのせた。

「深く切るなよ。切れ味がよか刀じゃけ」源三衛門が注意する。

上に向けた刃の上で親指を滑らせると、たちまち血がにじむ。文机の誓詞の上に親指を軽く押しつけたあと、懐紙で血をぬぐった。

助左衛門も脇差を押しいただいて、平右衛門にならう。

血判をするのは初めてだったし、脇差の刃に触れるのも初めてだった。赤漆の鞘《さや》に黒い柄《つか》がつき、鍔《つば》には銀の象嵌《ぞうがん》が施されている。

刃に親指をどのくらいの強さで圧《おさ》えつけるのか見当がつかない。余り軽くしてし損じるほうが、腰抜けに見える。助左衛門は覚悟して、したたかに押し当てた右手親指をほんのわずか横にずらした。鋭い痛みがほんの一瞬走った。さっと赤く染まった指先を、自分の名の下にそっと置く。その瞬間、安堵《あんど》のようなものが肚の底から湧き上がり、助左衛門の眼は、誓詞の中にある〈磔の刑〉を捕らえていた。堰渠が失敗した場合、当然死罪は覚悟していたが、五庄屋の間で磔刑《たつけい》を表立って口にしたことはなかった。しかし考えてみれば、百姓に切腹があるはずはなく、打首もありきたりの刑罰だ。公儀を動かすこれだけの工事が頓挫《とんざ》すれば、見せしめとしても、磔しかない。作之丞は迷わず〈磔の刑〉と書きつけたのに違いなかった。

懐紙で指を拭《ふ》き、文机を隣の平左衛門の前に置く。そのあと、脇差を恭《うやうや》しく平左衛門に渡す。

侍四人が見守るなか、全員が血判を終える。文机を作之丞が持ち上げ、誓詞とともに郡《こおり》奉行の前に置く。脇差は、次兵衛が懐紙で刃を丁重にぬぐい、鯉口を閉じて、源三衛門の方にさし出した。

「ご苦労だった。この書状確かに預かって、普請奉行お二方を通じ、再度詮議《せんぎ》にかけていただく。頼利公におかれては、折悪《おりあ》しく江戸詰めにあらせられるので、直々の判断を仰ぐことはできん。おそらく工事にかかれば、一切の責任は、丹羽様の肩にかかるものと思ってよか。しかし、この誓詞血判には、普請奉行様も心強く感じられるこつは間違いなかろう」

「ありがとうございます」

助左衛門たちは平伏する。

「それでは、百姓料理ではございますが、どうぞお口を汚されて下さい」

助左衛門は背後の襖《ふすま》を開き、手を叩《たた》いた。

七 冬蛍

「もうこのくらいにしとくか」

あたりを見回して伊八が言った。

半刻《はんとき》ほど前から、筑後川を下る筏《いかだ》や船の影はなくなっていた。対岸も見えなくなり、打桶《うちおけ》を沈める川面《かわも》のあたりがやっと見分けられるくらいだ。

打桶をやめると急に身体《からだ》が冷えてくる。身体を動かしている間は感じなかったが、日が落ちて寒気が増していた。元助と伊八は草の上に置いていたどてらを着る。

伊八は瓢箪《ひょうたん》の水筒を腰につけ、元助は打桶の水を切り、背中に担《かつ》いだ。土手を下り出すと、権が勢いよく駆け降りる。人と犬では勢いが違った。こちらは働きづめで足はくたくたに疲れているのに、権は暇さえあれば草の中で寝ていて、今ようやく立ち上がったばかりだ。元助は深く息を吸い込む。朝方の空気と夕方の空気は匂《にお》いも味も微妙に違った。早朝の空気は、草いきれと土の匂いが入り混じったすがすがしさがあるが、夕方の空気はどこかかまどの匂いがした。元助はどちらも好きだった。朝の空気には大地の息吹《いぶき》を感じ、夕方の空気には人の暮らしの温《ぬく》もりがあるのだ。

東の空はもう暗くなっていて、こんもりとした藪《やぶ》の形も薄闇《うすやみ》の中に消えようとしていた。しかしよく眼をこらすと、藪と夏梅村の間あたりに、光るものが見えた。

「蛍が出とります」

元助が言うと、伊八が足をとめる。

「どこに」

「あっちです」

元助は指さすが、伊八には見えないらしい。目をこすってじっと指の方向を見つめる。

「わしには見えん。暗くなると足元がやっとじゃけん」

そう言われると元助も思い当たる。日が落ちてしばらくすると、打桶を投げ入れる川面のあたりがひと足先に暗くなる。川を下る船影も薄ぼんやりとしか見えなくなるが、伊八の眼には船影も映っていないようだった。ただ打桶だけは、長年の勘で眼に頼らず、うまい具合に投げおろすことができているのだ。

「ほら動きました。三匹のうち一匹が」

「ばってん、この時節、蛍は出らんじゃろう」

言われてみると、なるほどそうだ。梅雨時から出始める蛍は、夏が過ぎて涼風が吹き始める頃まで、筑後川の川べりに出て、時には村の方まで飛んで来ていた。

「それに、そげな遠くの蛍が、ここから見えるこつがあるじゃろか」

「あ、もうひとつの蛍も動きました」

「ついたり消えたりしとるとか」

「いえ、ついたままです」

「馬鹿《ばか》、そげなものは蛍じゃなか」

「蛍じゃなかなら、何でしょか」

点滅しない蛍など見たことはない。元助は自分の迂闊《うかつ》さに気づく。

「またよその村の連中が、夜討ちでもかけに来たとじゃなかか。しっかり見ろ」伊八が心配気な顔を向けた。

「夜討ちなら、もっと明かりが多かはずでしょが」

「そうとは限らん。松明《たいまつ》の数が多かと目立つ。三つくらいでこっそり近づいとるのと違うか」

「明かりが動くのは三つ一緒じゃなかです。動かんのもあります」

「そりゃ三組に分かれて、襲うつもりじゃろ」

「そうかもしれんです」

「えらいこつじゃ」伊八はそう言うと、元助が指さした方向に歩き出す。

今、三つの松明は、夏梅村と筑後川の土手の間にある。襲うとすれば、まず夏梅村であり、分かれた一組が高田村まで押し寄せると見てよい。

権は、日頃の帰路と違った方向に行くので、先を走らず、元助の足元をつかず離れずついて来た。

「権が吠《ほ》えんとよかがな」伊八が声を潜めて言う。

「相手に気がつかれたときは、逃げるか、隠れたがよかです。溝の中に隠れると見つかりまっせん」

「権が吠えたら元も子もなか。そん時はお前は権と一緒に逃げろ。わしは隠れる。藪の中に逃げ込めば見つからん」

暗いのに、伊八の歩きは迷いがなかった。元助に頼らず、だが、さっさとついて来る。近在の道は小道や畦道《あぜみち》まで頭のなかにはいっているのだろう。

道は安枝村の北を抜けて富光村の裏側に回り込んでいる。三つの明かりが蛍でないのはもう明らかで、松明であり、人の手がそれを掲げているような気配があった。かといって、松明の付近に大勢の人間がいる様子はない。

「見込み違いのごたる。しかし何じゃろか」

伊八の眼にももう明かりは見えるのだろう、元助を呼びとめた。

元助も眼をこらす。三本の明かりは、思った以上に離れていて、一番遠いものは十町ばかり東にあった。一番手前のもので三、四町先だった。しかも松明が道の先にあるようには見えない。畦道か、溝の縁に掲げられているのではないだろうか。

息を殺して様子をうかがっているとき、元助は人の声がしたと思った。伊八の足が止まる。

「何ち言いよるか」伊八が訊《き》いた。

「さあ」

立ち止まったまま耳をすませる。今度の声は大きく、確かに「南」と叫んでいた。それは一番離れた松明から響いており、呼応するように、真中にあった松明が向こうの方に動き出す。

しかし元助の驚きはそのあとに起こった。

眼をこらすと、ずっと遠くの闇の中にも小さな明かりが見える。それまでは家や竹藪に遮られてはっきりしなかっただけだ。明かりの数は十、いや二十を超えるだろう。今こそ蛍火にそっくりだった。伊八もそれに気がついたのか、目をこする。

「あっちにあるのも松明か」

「松明のごたるです」

答えながら元助は背筋が冷たくなる。いったい何事が起こったというのだろう。しかも蛍火のいくつかはゆっくり動いていた。

そのあたり、稲崎、富光、安枝の三村が寄り集まっている所だ。しかし村人たちが騒いでいる様子は全くない。

「ひょっとしたら狐火《きつねび》かもしれんぞ」伊八が言った。「近くのは確かに松明かもしれんが、奥の方の明かりは狐火かもしれん。わしも子供の頃、見たこつがある。あれは耳納山の麓《ふもと》じゃったが、似とる」

「時節はいつ頃でしたか」

「今頃じゃった。えらく寒かった。おふくろが、狐火はいつまでも見てちゃいかん、すぐ家に帰らんと、とりつかれると言うて、そそくさと家に戻った」

「それで、誰も家から出とらんのですかね」

元助は余計背中が冷えていくのを感じた。「戻りましょか」

「そうはいかんじゃろ。せめて松明の所までは行って確かめてみらんと」

伊八が再び歩き出す。元助と権もあとに続く。

突然、権が吠えながら走り出す。松明の近くにいる人影が尋常ではないと感じたのだろう。先の方で明かりが揺れた。

「権、戻らんか」

元助は仕方なく、松明の近くまで駆け寄る。人影は百姓ではなかった。二人は着ている上着からして職人だろう。ひとりは二本差の侍だった。

ひとしきり吠えかかった権は、危険を感じたのか元助の方に戻って来た。

「近くの村の者か」

二本差の侍が訊いた。

「高田村の百姓です」元助はかしこまって答える。

「犬もそうか」

「へっ」

「もう少しで切り捨てるところじゃったぞ」

「申し訳ございません。松明がよっぽど珍しかったとでしょう」追いついた伊八も腰をかがめた。

「こんな夜中に何ばしよる。百姓なら、今頃は帰って夜業に精を出しとかにゃならんとじゃろが」

「打桶の帰りに、田んぼのあちこちに明かりが動いとったので、何じゃろと思って来たとです。どうかお許し下さい」

伊八が深々と頭を下げたので、元助もならった。

「打桶ちいうと、土手の上から川の水ば汲《く》み上げるやつか。高田村の打桶はつい先日、耳にしたばかりじゃ。見たこつはなかが」

侍は元助の背中にある桶を見やった。「普請《ふしん》奉行様が直々に指揮ばとられとる。ずっと向こうに松明が四、五本かたまっとるのが見えるじゃろ」

侍の指さす方向に、確かにひときわ明るい松明があった。

「あそこを起点にして、土地の高低がどげんなっとるか、測量するのが目的だ。高い低いは、昼間より夜のほうがはっきり見える。水路ば造るちいうても、土地の高低を知っとかにゃ、水は逆流する」

なるほどそうかと元助は納得する。竹藪や村の陰になって見えない松明をはぶいても、ざっと見渡して二十ほどの明かりが東の方に散らばっている。松明の一本一本に三人がついているとしても、全体では大変な数だ。

「分かったら、はよ戻れ。夜中に夜なべをせんでうろついとる百姓は、見つかると罰せらるる」

侍は早く行けという仕草をし、松明の高さに立てた仕掛け物を覗《のぞ》き込んだ。

伊八が先に立って歩き出す。元助と権があとに続く。

「あの仕掛けは何ですかね」しばらく行ったところで元助は訊いた。

「遠目鏡のようなもんじゃろ。それにしてもこりゃ大変なこつじゃ」

「堰造りと溝掘りは決まったとですかね」

「決めるかどうかば、これで決めるとじゃろな。ともかく、こんこつは旦那《だんな》様に知らせとくがよか」

伊八の足は行きがけよりも速くなった。暗いのにもかかわらず、足の先に眼がついているような迷いのない歩き方だ。

屋敷にたどりついたのは戌《いぬ》の刻を過ぎた頃だった。

納屋《なや》に桶をしまっていると、長吉が奥の厩《うまや》から飛び出して来た。

「みんな心配しとったぞ。元助のおっかさんは、土手の近くまで見に行って、さっき戻ったばかりじゃ。二人の姿が見えんけ、どこに消えたか、大騒ぎになっとる。旦那様も心配しとりなさる」

「いや、ちょっと冬蛍ば見に行っとった」伊八が空とぼけて答える。

「蛍。こげな時節に」本当かという顔で、長吉が元助を見た。

「おった、あっちこっちに、全部で五、六十」

「何ちゅう暢気《のんき》さじゃ」

長吉はあきれたように女中部屋に知らせに行き、いと、を連れて来る。

「遅くなってすんません」元助は母親に頭を下げた。

「伊八つぁんが一緒だから、心配なかとは思っとったけど、冬蛍ば見に行くちいうのは、大人げなか。さ、中にはいって、夕餉《ゆうげ》ばとらんと。外は寒かったろ」

言われて急に空腹を覚えた。

土間の騒ぎを聞きつけたのか、姿を見せたのは助左衛門だった。後ろにちよも幸之助もいた。

「冬蛍とは、伊八も元助も風流じゃな。どこに出とった」

「いえ、あのう、冬蛍のごたると、元助が言ったので、行ってみたとです」

伊八が滅相もないという顔をする。「松明の明かりでした。それが、ひとつや二つではなく、夏梅村や富光村、橘田村や能楽村の方にかけて、二十か三十、あちこちにありました」

「本当に松明か」

「松明にはお侍ひとりと職人二人ついていて、遠目鏡のようなもんで、東の方にある大きな明かりば見とりました」

「それは、普通の遠目鏡じゃなかろ」助左衛門の顔色が変わる。

「小さな台の上に、長か筒がついとって、そこばお侍が覗き込んどりました」伊八がつけ加える。

「そりゃ、測量かもしれん」助左衛門が声を強める。「手元に何か書きつけとらんじゃったか」

「筆ば持って、紙綴《かみつづ》りに何かちょこちょこ書いとりました」伊八が答える。

「土地の高さ低さを調べとるのだと、お侍は言っとりました」元助もつけ加える。

「もう間違いなか。そげな明かりが、本当に二十も三十もあったとじゃな」

「ずっと東の方には、普請奉行様も直々に来とらっしゃると言っとりました。権が、そのお侍に吠えかかって、もうちょっとで斬《き》られるところでした」元助が慌《あわ》てて言い添える。

「そりゃそうじゃろ。測量の邪魔になる。普請奉行というのは、丹羽頼母様か、それとも山村源太夫様か」

「さあ、それは言われませんでした」今度は伊八が答える。

「これは吉報じゃ。これで半ば堰渠《えんきよ》が決まったち思うてよか」

助左衛門が満面喜色を表わすのを見て、元助と伊八は顔を見合わせる。冬蛍をわざわざ見に行った甲斐《かい》があった。

「二人ともご苦労じゃった。腹が空《す》いたろ。何かうまい物でも食べさせてやってくれ。それから権にも、しじみ汁の余っとるのを与えるとよか」

助左衛門はちよと下女たちに向かって言った。

八　年貢駄《ねこだ》

その年、寛文三年も、残り三日だった。元助と伊八は昼前の打桶《うちおけ》から戻って、納屋《なや》で年貢駄を編んでいた。

「何とか年末までこぎつけた」

伊八が藁縄《わらなわ》で編んでいるのは、背中に当てる小さめの年貢駄で、元助のほうは、庭に拡《ひろ》げて籾《もみ》を干したり、寝床代わりにする大きな年貢駄だった。

年貢駄は、普通の藁で編む莚《むしろ》とは違い、縄で編むために強く、目も詰まっている。籾をその上に散らしても、目に詰まることはなく、まして漏れ落ちもしない。背負子《しょいこ》を担《かつ》ぐ際、上着の背中がこすれて破れやすい。亀《かめ》の甲羅のようにまずは背中に年貢駄をつけ、その上に背負子を担ぐとよかった。納屋で固めた地面の上に敷いているのも広い年貢駄だった。寝るときは、その上に藁布団《ぶとん》を敷き、上にも藁布団をかけた。

町の連中は、死ぬのは畳の上でと考えるらしいが、元助たち百姓は違った。のたれ死にではなく、年貢駄の上で息を引き取ることができれば本望だった。

「堰《せき》造りと溝掘りが始まれば、この年貢駄が役立つ」伊八が手を休めて元助に言った。

「あの測量のあと、どげんなったとでっしょか。冬蛍は三日続けて出ましたけん」

確かにそうで、冬蛍を見に行った翌日も、打桶の帰りにそれに気がつき、帰って来てから、助左衛門やいとたちに知らせた。助左衛門は息子二人を連れて、夏梅村の先まで見に行ったらしかった。途中、夏梅村にも立ち寄り、次兵衛夫婦も誘ったようだとは、いとから元助も聞かされた。

「三日続けたちいうことは、見込みがあると見てよか」

伊八は言って自分で頷《うなず》く。「ばってん、川の水は、どげんやって堰止めるとじゃろか。溝掘りなら、理屈は分かる」

「大水のときに、土手の切れた所に土のうば積んだごつ、俵に土ば入れて沈めるとじゃなかですか」

「馬鹿《ばか》。土手ば造るのと、堰造りは別物じゃろ。あげな土のうば沈めたところで、俵はすぐに腐って、中の土はじきに流れ出す」

「そんなら、俵に石ば入れるとです。俵が腐っても、石はそんまま沈んどります」

「お前は、俵に石ば入れたこつがあるか。米ば五斗入れるとがやっとで、それ以上大きなもの作ったら、破れてしまう。石は米の何倍も重かろ。そうすると、小さな米俵ば作って、運ばにゃならん。それじゃ、はかどらん。この年貢駄で大袋ば作れば、少しはましじゃろうが。その年貢駄の大袋がどれだけいるかじゃ。千枚か万枚か」

「百枚なら何とか編み上げられますが、千とか万になると、何十人も人手がいるし、藁もかき集めなきゃならんです」

ひと口に千や万と言っても元助には実感できない。

「ま、こりゃ普請《ふしん》奉行様が考えられるこつで、わしらの石頭で考えてもしようがなか」伊八は首を振った。

また二人とも黙り、年貢駄編みに戻る。しばらくして、外にいた権が吠《ほ》え始める。見知らぬ男に立ち向かっている吠え方ではない。応じるかのように馬のいななきが聞こえた。

元助は立って行き、外を窺《うかが》う。

「伊八つぁん、あのお侍です。よその村の百姓が襲って来たとき、助けてくれた――」

元助が眺めているうちに、年取った侍は馬から降りて、主屋《おもや》の中にはいっていった。

二人が納屋の前に立つと権が寄って来る。

「権はどうも、侍好きのごたる。鬢《びん》付け油の匂《にお》いがよかとじゃろか」伊八が言った。